朝日新書
Asahi Shinsho 875

エネルギーの地政学

小山　堅

朝日新聞出版

はじめに――本書の視座

エネルギー価格の高騰と国際エネルギー市場の不安定化が世界を大きく揺さぶっている。２０２１年の後半以降、原油、天然ガス、液化天然ガス（ＬＮＧ）、石炭、電力などの価格が全て同時に高騰し、同時多発的なエネルギー価格の高騰が発生した。その状況をさらに深刻化させたのがウクライナ危機である。ウクライナの「非軍事化・中立化」を求めるロシアが、ウクライナ国境にロシア軍を配備し、ウクライナに圧力を掛け始めたことから地域情勢の緊張が高まり、２０２２年2月24日から始まるロシアのウクライナ侵攻によって、事態は一気に本格的な侵略戦争とそれに対するウクライナの徹底抗戦という展開を辿った。ロシアの侵略を止めるため、欧米を中心とした極めて厳しい対露経済制裁が始まり、その下で、ロシアのエネルギー供給に対する不安感が大きく高まり、それがエネルギー価格の高騰を加速化させた。国連安保理常任理事国であるロシアによる他の主権国家への本格的軍事侵攻とそれに対する欧米を中心とした国際社会の対露経済制裁強化という劇的な地政学情勢の緊張が、国際エネルギー市場の安定を揺るがす重要な問題になっている。

地政学情勢の緊張と流動化がエネルギー市場の不安定化に直結する状況下、エネルギー価格の高騰や供給不足の可能性を懸念するエネルギー消費国は、改めてエネルギー安定供給の重要性を再認識することになった。そして、エネルギー安全保障の強化がエネルギー政策において極めて重要な問題であることも改めて世界が確認することとなった。エネルギー価格高騰が問題視されるようになる2021年後半までは、世界のエネルギー問題に関する関心は、気候変動への対応や脱炭素化や、CO_2などの排出を実質的にゼロにするカーボンニュートラルへの取り組みに関連するもの一色に染まっていた。しかし、エネルギー安定供給に対する深刻なリスクが現実のものとなり、その最大の原因がロシアを巡る地政学情勢となったことから、世界のエネルギーに関する関心には大きな変化が生じた。もちろん、気候変動対策や脱炭素化の取り組み自体の重要性は変わらない。しかし、市民生活や経済活動に欠かせないエネルギーの安定供給確保は、それが危機に晒《さら》されることで一気に喫緊の重要課題として浮上したのである。

今後、ウクライナ危機による国際政治・安全保障・地政学情勢への大きな影響を踏まえつつ、世界のエネルギー安全保障政策がどのように進められていくのかに関心が高まっている。その中では、国際エネルギー秩序をどのように強化していくべきなのか、という問題も重視されていくことになる。また、喫緊の最重要課題として浮上したエネルギー安全保障強化への世界的な流れが、長期的な重要地球規模課題である脱炭素化への取り組みにどのような影響を及ぼすのか、エネルギー安全保障政策と脱炭素への取り組みの相互関係がどうなっていくのかにも世界の関心が集まりつつある。同時に、国際エネルギー市場を巡る地政学情勢、すなわちエネルギー地政学は今後どう展開していくのか、その際、エネルギー地政学を左右する主要プレイヤー（米国、中国、ロシア、中東、欧州、インド）などの相互関係はどう動くのか、それぞれの国・地域の情勢はどうなるのかにも注目していく必要がある。また、こうした複雑で不透明な国際情勢の下、日本はエネルギー安全保障強化と脱炭素化への取り組みを進めるため、どうする必要があるかも問われるべき重要な問題となる。

本書は、上述の問題意識・関心を踏まえ、以下の章からなる構成で全体の論を進めることとする。

序章では、国際エネルギー情勢と地政学の関わりを導入として整理し、第1章では2021年後半からの国際エネルギー市場での同時多発的エネルギー価格高騰に関わる問題を整理する。続く第2章ではウクライナ危機によって発生した国際エネルギー市場の著しい不安定化とそこにおける地政学の影響の重要性を浮き彫りにする。第3章ではウクライナ危機によって欧州を中心に世界的にエネルギー安全保障政策の重要性が再認識され、強力な取り組みが進められ始めている現状を論ずる。そして第4章ではウクライナ危機の影響とエネルギー安全保障の重視が脱炭素化への世界的な取り組みにどのような影響を及ぼすのかを考察する。また、第5章では地政学情勢に揺れる国際エネルギー市場の安定に向け、国際エネルギー秩序の再構築と強化が重要課題となることを論ずる。第6章では、米国・ロシア・中国・中東など国際エネルギー情勢を左右する地政学上の重要アクターの相互関係を俯瞰《ふかん》し、その下で、第7章ではそれらの主要国・地域ごとのエネルギー情勢・戦略をまとめる。最終の第8章では、第7章までの分析・考察を踏まえ、日本がとるべき対応戦略について論ずることとしたい。

これらの問題は極めて多岐にわたり、国際エネルギー情勢を中心の軸として据えながら、政治・経済・安全保障・地政学・技術など広範な問題を取り扱うことになる。さらに、ウクライナ危機など現在進行中で、どのような展開を示すのか、その帰趨《きすう》に大きな不確実性が付きまとう問題もある。これらの状況の中で、本書の考察を進めるため、筆者にとって、平素から共に研究活動を行う、(一財)日本エネルギー経済研究所の諸先輩・同僚の専門的知見やアドバイス・協力は、かけがえのない重要な支援となった。また、同じく日頃から内外エネルギー問題について、意見交換を実施し、様々な角度から学びの機会を頂戴している、エネルギー政策に深く関わる経済産業省を中心とした政府関係者、エネルギー市場・ビジネスの実態に詳しい産業関係者、エネルギー問題に造詣の深い有識者・学識経験者・メディア関係者の皆様から多大なる刺激と有益なアドバイスを頂戴したことに深く感謝する次第である。これらの皆様のご支援・ご協力なしに本書の執筆は叶わなかった。

また、本書の企画から原稿執筆、そして刊行に至る全ての工程において、朝日新聞出版書籍編集部の大﨑俊明氏に支えて頂いたことを心から感謝申し上げたい。

最後に、本書の執筆を含め、筆者の研究活動全体について、心から支援し、理解してくれる家族、とりわけ妻の小山弘美の協力に改めて深く感謝したい。

なお、本書の重要なテーマの中心にあるウクライナ危機とそれへの対応は、まさに現在進行中の重大問題である。筆者として、本書の刊行に当たって執筆の最終段階（2022年7月13日）まで、可能な限り最新情勢を取り込み、分析・執筆にあたったが、刊行までのタイムラグでどうしても盛り込み切れない情報や、事態の展開次第で状況が大きく変化する場合がありうる。また、本書の構成上、事実関係については記述の重複が発生する可能性がある。それらの点につき、ご理解の上、ご容赦頂ければ幸いである。

エネルギーの地政学　目次

第6章　国際エネルギー情勢を左右する地政学
——主要国の相互関係　213

図表作成／谷口正孝

序章

国際エネルギー情勢と地政学

1　エネルギー問題は国際問題の側面を持つ

エネルギーは、私たちの生活や経済活動にとって、身近なものである。日々の暮らしはエネルギーの利用と切っても切り離せない。私たちはガソリンを使って自動車を走らせ、ガスや電気で調理をして、電気で照明・冷暖房を用い、パソコン・スマートフォンなどを利用し、テレワークを行う。工場や商業店舗もエネルギー利用無くして操業はできない。まさにエネルギーは私たちの日常を支える必要不可欠なものである。

しかし、その身近なエネルギーがどのように供給されて私たちの手元に届くのかに思いを巡らせると、実はそのエネルギーの多くは国際的な供給チェーンを経由して最終消費者である私たちのところに提供されていることが分かる。世界全体で、現時点では全てのエネルギー消費のうち8割以上が化石燃料であり、その化石燃料は中東やロシアなどの大資源国で生産され、それが船やパイプラインなどで欧米やアジアなどの消費国に大量に輸送され、それぞれの地で消費されている。エネルギーの中で最大の貿易財は石油であり、次いで天然ガス（天然ガスを輸送のため冷却し液化した「液化天然ガス」、ＬＮＧを含む）、そして石炭という順になる。電力についても欧州などで見られるように、域内・域外を結ぶ電力の連系線が発達し、電力の国際貿易も活発に行われている。エネルギーの生産に関して、資源賦存《ふぞん》などの状況に応じて低コストで生産できる国・地域があり、他方で、大量消費を行う経済・産業や人口の集積地を持つ国・地域がある。生産国と消費国とが異なり、地理的に離れている場合には、当然のことながら、大量の国際エネルギー貿易が生産地と消費地を結ぶ役割を果たし、その間に国際的なエネルギー供給チェーンが確立・発達することになる。

そして、ひとたび、こうしたエネルギーを巡る国際貿易が、国際的な供給チェーンの存在の下で発達すると、エネルギー問題は否応なしに国際的な問題と密接に関わることになる。つまり、私たちにとって「身近なエネルギー」に関わる問題は、同時に「国際問題」の側面を持つことになるということである。

2　エネルギー問題と国際問題の相互関係

エネルギー問題が国際問題の側面を持つという時、それは2つの観点から捉えることができる（図0－1）。第1に、エネルギー問題が国際問題に影響を及ぼす、という観点がある。これは、エネルギー問題によって、国際政治や世界経済における「パワー」に影響が

図0-1　エネルギーと国際問題の関わり

■ エネルギーの持つ国際性

■ エネルギー問題が及ぼす国際政治・経済上の問題（国際政治・経済における「パワー」）への影響

■ 国際政治・経済が及ぼすエネルギー問題への影響

エネルギー ➡ 国際問題

- **経済的側面への影響**
  - ・エネルギー問題は国家間の経済的条件を左右（所得移転等）
- **外交的側面への影響**
  - ・エネルギー問題は、国家の政治的「発言力・影響力」、外交的な「自由度」を左右

⬌

国際問題 ➡ エネルギー

- **世界経済問題とエネルギー需要への影響**
- 戦争・国際紛争等による供給途絶の発生
- 政治的意図を持った禁輸措置・経済制裁の影響
- 国際政治上の戦略判断等による投資・技術移転への影響
- 国際協力・国際的合意事項によるエネルギー選択・投資等への影響
- 上記の結果としてのエネルギー需給バランスや各国のエネルギーミックスへの影響

国内問題としてのエネルギー、安全保障確保、エネルギー・環境対策も重要

生ずるということである。例えば、原油価格などエネルギー価格が上昇すれば、消費国から産油国に所得移転（富の移転）が発生し、産油国の経済的なパワーが増大する。また、エネルギー需給が逼迫《ひっぱく》すれば、供給側である産油国の影響力・発言力が相対的に高まる。これらを通して、エネルギー問題が国家間の相対的影響力を左右し、意思決定や外交における「自由度」を左右することがある。例えば、第1次石油危機の際には、原油価格の上昇の中で石油輸出国機構（OPEC）などの「産油国パワー」が歴史的に見ても最大化される結果をもたらした。また、この時に実施された「アラブ禁輸」の下で、段階的石油供給削減の可能性に直面した日本は、供給削減回避のため、それまでの「中東政策を見直す」との方針をアラブ産油国の求めに応じて表明せざるを得なくなり、外交の自由度を失うことになった。

第2の観点は、逆に国際政治や世界経済がエネルギー問題を左右する、というものである。例を挙げると、コロナ禍で世界経済がマイナス成長に落ち込めば、エネルギー需要が減少し、原油価格を始めエネルギー価格は暴落する。また、戦争や国際紛争によってエネルギー供給支障が発生し、エネルギー価格が高騰することもこのケースに当てはまる。さらに、政治的な意図を持った禁輸政策や経済制裁などがエネルギー供給に影響を及ぼし、エネルギー価格高騰と需給逼迫をもたらすこともある。これらの事例は、2022年からのウクライナ危機においてのみならず、国際エネルギー市場の歴史において多々見られてきたものである。

要するに、国際エネルギー情勢を見る上では、エネルギーに関わる問題と国際情勢（政治・安全保障・経済など）が相互に影響を及ぼし合う、複雑な関係を有しており、過去の国際エネルギー市場を振り返ると、この相互関係によって国際エネルギー情勢が大きく動いてきたことが明確に浮かび上がってくる。まさに、エネルギー問題は国際問題なのである。

3　地政学とエネルギー問題

そこで次に、「国際問題」を議論していく場合における、重要な概念の一つ、「地政学」についてこの序章で論ずることとしたい。地政学（Geopolitics）は、20世紀初め頃に登場した学問分野・概念であり、第1次・2次世界大戦期までに欧米で様々な著名な専門家が現れ、国家戦略の分析などに活用された。その後も、冷戦期や今日に至るまで国際情勢の分析に活用されてきた、多様な角度からの様々な定義が可能な学問分野・概念である。しかし、本書の考察においての地政学は、「国家を取り巻く地理的な諸条件（国土、位置、人口、民族、資源など）が国家間の競争やパワーを巡る関係（国際関係）に及ぼす影響に関する分析・研究」を学問分野として指し示すこととし、時として、学問分野としてではなく、「国家を取り巻く地理的な諸条件が国家間の競争やパワーを巡る関係に及ぼす影響とその状況・実態」として言及することとする。

国家は、各々、生存・繁栄などを本源的に目指すものであり、それは国益の追求という形を取る。その実現のためには、国家としての「パワー」が必要であり、その源泉は、国土・人口・資源・技術・軍事力・経済力などから構成され、「地理的な諸条件」が重要な意味を持つ。こうした特性を持つ国家間の関係や相互作用、そこから生まれる対立・協調などの構造を捉えようとしたものが地政学であるともいえる。

こうしてみれば、ロシアによるウクライナ侵攻によって発生した重大な国際的な緊張も地政学の問題として捉えることができる。また、ウクライナ危機発生の前まで、世界で最も注目を集めた国際関係上の問題である米中対立の激化も地政学の問題として見なすことができる。まさに、地政学的な緊張関係が世界を揺るがしてきたともいえるのである。そして、この世界の動揺や変動が国際エネルギー情勢を大きく左右してきたわけであり、同時に国際エネルギー情勢が世界を揺るがすことで地政学にも影響してきたことになる。そのように考えれば、エネルギー問題と国際情勢の相互関係を「エネルギー地政学」と見なすことも可能であろう。

4　エネルギー安全保障とは何か

続いて、本書の議論を進めていく上で、「エネルギー安全保障」という概念についても、この序章で論じておくことが有用である。

まず第1に、「エネルギー安全保障」の定義であるが、この問題が世界の重要課題として浮上し始めた1960年代頃から現在に至るまで、世界中で極めて多数・多様な定義が示されてきた。しかし、筆者は本書の目的に照らし、そして最大公約数を求める形で、エネルギー安全保障とは「市民生活や経済活動、そして国家運営などに必要十分な量のエネルギーを、合理的で手頃な価格で確保すること」と定義したい。重要なポイントは、「必要十分」な「量」と「合理的・手頃な価格」という点が含まれることである。他方、実は筆者はこの定義に対して、もう一つ補足をしておく必要があると考える。すなわち、エネルギー安全保障とは、「必要十分な量のエネルギーを合理的・手頃な価格で確保するため、国家や経済主体が意思決定や外交などの自由度を失わないこと」ということも追加しておくことが重要であると見る。つまり、必要十分で手頃な価格のエネルギーを手に入れるため、意思決定の自由度が失われてしまうならば、それはエネルギー安全保障が守られているとは言えないということである。

次いで、エネルギー安全保障に関しては、この問題に対して極めて重要な影響を及ぼす「エネルギー危機」の存在について、3つの観点で整理を行うことが重要である。第1の整理は、エネルギー安全保障を脅かす「エネルギー危機」には2つの種類の社会・経済への重大なインパクトがあるということである。このインパクトは、エネルギー価格の高騰によるインパクトと、エネルギーが手に入らないこと(物理的不足)によるインパクトの2つに大別される。エネルギー価格が高騰することは、市民生活を圧迫し、企業の収益を悪化させ、インフレ高進の原因となり、エネルギー輸入国にとっては国富流出という深刻な悪影響をもたらす。しかし、エネルギー安全保障における問題としては、エネルギーが手に入らないこと(物理的不足)が起こることの社会・経済へのインパクトの方が遥かに深刻で甚大なものとなる。これは、エネルギーがどうしても必要不可欠なものであり、それが手に入らないということは、時には生存そのものに直接影響するような事態を引き起こしかねないからである。過去のエネルギー危機を振り返っても、エネルギーの物理的不足の発生が懸念されるとき、エネルギー安全保障の問題がより深刻で重大な問題と認識されている。その点、今般のウクライナ危機も、物理的不足の懸念が現実に存在する、重大で深刻な問題となっているのである。

第2の整理は、「エネルギー危機」の背景要因に関するものであり、こちらも過去のエネルギー危機の歴史を振り返ると、3つの重要なポイントがあることが分かる。最初のポイントは、エネルギー輸入依存の問題である。これまで、重大なエネルギー危機が発生する場合には、エネルギー輸入依存上昇が問題となり、輸入国がエネルギー安定供給確保の面で脆弱《ぜいじゃく》な状況に置かれた時に特に深刻化してきたことが明らかである。次のポイントは、最初のポイントと一定の関連を持つが、特定供給源に依存する構造がやはりエネルギー安定供給確保の面での脆弱性となる場合である。第1次・第2次石油危機の際の先進国の輸入依存及び中東依存の問題が、これら2つのポイントの重要性を明確に示している。また、今般のウクライナ危機でも特に欧州や日本にとってこの2つのポイントが重要である。3つ目のポイントは、「エネルギー危機」発生には、必ず何らかの切っ掛けや具体的な背景要因となるリスク事象・要因が存在してきた、という点がある。この点については、以下で第3の整理として取り上げてみることにしたい。

第3の整理は、「エネルギー危機」を引き起こす様々なリスク要因の存在に関わるものである。国際エネルギー市場の歴史を見ると、実に多種多様なリスク要因が存在し、市場不安定化を引き起こしてきた。この多様なリスク要因について、その性質に基づいて、「緊急事態・偶発的リスク要因」と「構造的リスク要因」に大別することが可能である。

緊急事態・偶発的リスク要因とは、①戦争・革命・暴動・テロリズム等の事象が引き起こす問題、②エネルギー供給チェーン上のどこか重要なポイントにおける事故が引き起こす問題、③異常気象などがエネルギー供給および需要に及ぼす影響が引き起こす問題、④消費者・国によるパニック的行動・排他的行動が引き起こす問題、⑤サイバー攻撃、などである。なお、サイバー攻撃などは、特に②における事故などを引き起こす原因ともなる今日的な重要問題である。このように、緊急事態・偶発的リスク要因は、事前予想が困難で、突発的に発生し、一気に市場を不安定化させる性質を持つものである。

他方で、「構造的リスク要因」とは、急速な展開で問題が引き起こされる場合もあるが、問題が進行する中で徐々に事態が悪化し、問題が構造化する性質のものである。その代表的な例としては、①供給者による市場支配力（マーケットパワー）の行使が引き起こす問題、②供給者あるいは消費者による政治的意図を持つ禁輸・制裁が引き起こす問題、③需要の急速な拡大、あるいは投資不足による供給制約の発生、あるいはこの両者の組み合わせによる需給逼迫が引き起こす問題、④資源の枯渇による慢性的なエネルギー供給不足、⑤環境制約や市場自由化の影響による供給力制約や供給余力・柔軟性の低下が引き起こす問題、などがある。これらも、現在に至るまで、国際エネルギー市場において現実に市場不安定化とエネルギー危機をもたらす原因となってきた。

エネルギー安全保障が重要な問題となるのは、何らかの「エネルギー危機」が発生し、エネルギー価格の高騰や物理的なエネルギー不足（入手困難の発生）が、世界を、そして特にエネルギー消費国の政治・経済・社会の安定を揺さぶる時である。そして、そのエネルギー危機を発生させる原因は実に多様である。それらリスクの性質・特徴に応じて、エネルギー安全保障強化のための対策が講じられることになる。その点において、それぞれの「エネルギー危機」の時々で、何が最も深刻なリスク要因として認識されることになるのかが極めて重要となる。なぜならば、最も深刻と認識されるリスク要因に対応した対策が最優先・再重視されることになるからである。

例えば、今日のウクライナ危機に即して言えば、ロシアによるウクライナ侵攻という緊急事態・偶発的リスク要因と、対露経済制裁による構造的リスク要因が二重に存在し、影響していることになる。そこで、緊急事態への対応を整備すると共に、ロシア依存の脱却という構造的な対策がエネルギー安全保障戦略上で必要になるということになる。

5　国際エネルギー秩序を巡る諸問題

エネルギー安全保障に続いて、この序章ではもう一つ、本書の議論に関連して重要な概念について整理を行っておくことが有意義である。それは、「国際エネルギー秩序（Global Energy Governance）」である。

ここまで、この序章において論じてきた通り、エネルギー問題は優れて国際問題であり、地政学との関わりを強く持つ場合が多くみられる。エネルギーと国際情勢の相互関係を「エネルギー地政学」と見なすこともできる。そして、エネルギーと国際情勢の関わりの中で、エネルギー安全保障問題は特に重要な問題となってきた。エネルギー安全保障を左右する「エネルギー危機」を引き起こす様々なリスク要因はまさに国際問題の中から発生する場合が多いのである。この状況において、国際エネルギー市場の安定を維持・強化することが、「エネルギー地政学」の観点においても、「エネルギー安全保障」の観点においても、極めて重要な課題になることは明らかである。「国際エネルギー秩序」とは、まさに国際エネルギー市場の安定やエネルギー安全保障を守るための統治・管理であり、そのためのメカニズム・仕組みや機能のことを包含する概念である。

序章としての概念整理の理解促進のため、国際エネルギー秩序を巡る国際的な取り組みの事例を、国際石油市場の歴史から見てみたい。国際石油市場の歴史は、市場不安定化への対処の歴史と見なすことが可能であり、国際石油市場の不安定化がエネルギー地政学の中心問題であり続けてきたからである。

この場合、国際エネルギー秩序は、国際石油市場における供給余力・余剰生産能力の管理の問題として捉えることが可能である。1960年代に米国が石油純輸入国化するまでは、米国こそが余剰石油生産能力を保有し、戦時における同盟国に対する緊急的な石油供給実施のための供給拡大を行うなど、市場安定化と国際エネルギー秩序の「最後の砦《とりで》」（ラストリゾート）の役割を担ってきた。しかし、米国が石油純輸入国化し、輸入依存度が上昇していく中で、余剰生産能力の管理役は1970年代以降、OPECに、中でも中東産油国に移っていった。1980年代前半に国際石油市場の需給調整をサウジアラビアが「スイングプロデューサー」として単独で務めたことをきっかけに、サウジアラビアがOPECの盟主として、国際石油市場の安定と国際エネルギー秩序の守護役の地位に就くことになった。以来、サウジアラビアは常に石油の余剰生産能力を管理し、需給調整で市場安定化の取り組み（時には、原油価格を下支えするため減産し、時には価格抑制のために増産を行う）と共に、不測の供給途絶に対応した緊急増産の担い手となってきた。

また、第1次石油危機の教訓を踏まえて創設された国際エネルギー機関（IEA）も、国際エネルギー秩序の維持・強化を消費国・輸入国の立場から実施する主体であるといえる。IEAは国際石油市場安定化のための国際協力として、共同石油備蓄放出などを実施してきている。また、IEAはその加盟国がOECD諸国であるため、国際石油市場で存在感を高めるアジア新興国・途上国との連携を強める取り組みを進めており、国際エネルギー秩序維持の機能を高めようとしている。さらに、石油市場の安定に加え、IEAは複雑化する国際エネルギー安全保障問題に対応するため、ガス供給セキュリティや電力供給セキュリティなど、国際エネルギー秩序維持においてカバーする領域の拡大も図っている。世界的な脱炭素化への取り組み強化の潮流の下で、再生可能エネルギーの推進や電力化が大きく進展していく将来を見越し、そこでどうしても必要になるレアアースなど稀少鉱物の安定供給問題についてもIEAは国際エネルギー秩序維持の領域として関心を示している。

もう一つ、欠かすことのできない、重要な国際エネルギー秩序維持の機能・パワーが、米国による中東の安定、シーレーン（海上交通路）の安定のための取り組みである。先述の通り、米国は石油余剰生産能力を1960年代には失い、代わりにその重要な機能を持つ余剰生産能力の管理者はサウジアラビアを始めとする中東産油国になった。すなわち、中東の安定は国際エネルギー市場の安定に直結する問題となり、米国の超大国としてのパワーが中東の安定を管理・統治し、米国を国際エネルギー秩序の重要な守護者たらしめてきたのである。この点は、国際石油貿易や他のエネルギー貿易の安定を守るという点で、米国のパワーがペルシャ湾、ホルムズ海峡、インド洋、マラッカ海峡などを経由する重要なシーレーンの安定を守る重要な役割を果たしてきたことに見ることもできる。

さらに、国際エネルギー秩序と国際石油情勢の相関を最近の事例で見ると、また新しい注目すべき展開が見られることが分かる。まず国際エネルギー秩序の守護役の中心である米国については、シェール革命の影響に注目する必要がある。シェール革命によって、非在来型の石油・ガス資源の開発が一気に進み、米国の石油・ガスの生産量は長期減少傾向から大幅拡大へと、まさに革命的な転換を遂げた。その結果、米国は今やガスの純輸出国となり、石油もほぼ自給自足に近づいた（図0-2）。かつてのような余剰石油生産能力を持つことはないが、大増産で米国のエネルギー政策は「不足への対応」から「豊富への対

図0-2　米国の石油・ガスの純輸入依存度の推移

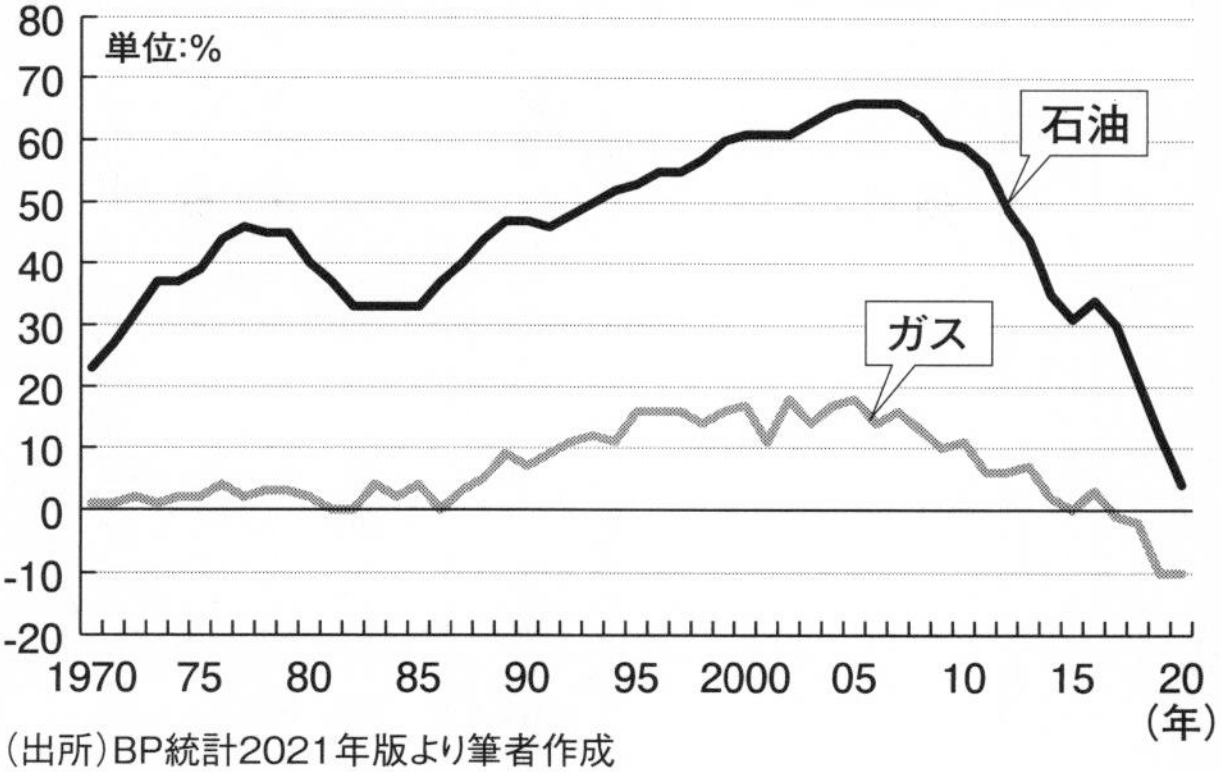

（出所）BP統計2021年版より筆者作成

応」に変わった。米国の石油・ガス・LNG輸出をどのように米国の国益最大化に活用するか、同盟国のニーズにどう対応するかという意識での政策・戦略がとられるようになっている。他方、米国は「もはや世界の警察官ではない」という意識での外交政策・安全保障政策がとられるようになったことも、国際エネルギー秩序の維持・強化にとって、重大なインプリケーション（含意）を持つようになっている。米国が中東の安定にどう関与していくのかはまさに国際エネルギー秩序を左右する重要問題であり続ける。

　米国の国際エネルギー秩序の守護役としての役割がどうなるのかという問題と共に、国際エネルギー秩序に大きな影響力を行使しうる、他の重要なプレイヤーの存在に注目する必要がある。第1には、国際政治・世界経済・国際エネルギー市場での存在感を大きく高める中国が国際エネルギー秩序にどう関わってくるのか、という問題である。また、まさにウクライナ危機が明確に示した通り、ロシアも国際エネルギー秩序を左右しうる実力と戦略的意志を持ったプレイヤーである。国際石油市場安定とそのための余剰生産能力の管理に当たるサウジアラビアなど中東産油国と米国・中国・ロシア等との相互関係も今後の国際エネルギー秩序に影響を及ぼす。これらの巨大な力を保有する国家・地域間の関係が、今後のエネルギー地政学における最大の問題であり、国際エネルギー秩序の鍵を握るのである。

第1章

2021年以降のエネルギー価格高騰

――不安定化する国際エネルギー市場

ウクライナ危機の深刻化で国際エネルギー価格が一気に高騰し、エネルギー市場は著しく不安定な状況に陥った。2022年3月には、北海産で世界の指標原油の一つ、ブレント原油の先物価格が取引時間中に1バレル139ドルを超え、リーマンショック後の最高値を記録するに至った。欧州のガス価格やアジアのスポットLNG価格の高騰はさらに凄《すさ》まじく、原油価格換算では1バレル400ドルを超える異常な暴騰を示した。世界有数のエネルギー輸出国であるロシアのウクライナ侵攻によって、同国のエネルギー輸出に供給支障・途絶が発生するのではないかという懸念が高まり、価格高騰と市場不安定化が発生しているのである。

ウクライナ危機とエネルギー市場へのインパクトについては、第2章で詳述する。それに先立って、本章では、実はウクライナ危機が発生する前から国際エネルギー需給は逼迫《ひっぱく》し、価格高騰が発生していた、という事実とその原因を論ずることとしたい。ウクライナ危機の深刻な状況は、それに先立つ需給逼迫と価格高騰に重なって発生したが故に、より複雑で、困難で、深刻な問題となったのである。本章では、なぜウクライナ危機の前から国際エネルギー市場でエネルギー価格高騰が発生し、今日の重大問題であるウクライナ危機での価格高騰につながっていくことになったのかを考察する。そのために、さらにその前のステージとして、ある意味では価格高騰を引き起こす遠因ともなった、コロナ禍による国際エネルギー市場の大混乱から説き起こし、2020年以降の国際エネルギー市場の激動を振り返ることとしたい。

1　コロナ禍のインパクト――需要蒸発と供給過剰

2022年初から現在に至るまで、国際エネルギー市場は原油・天然ガス・LNG・石炭・電力という全てのエネルギー財の取引市場において、価格高騰と市場不安定化が発生し、エネルギー市場の問題だけでなく、国際政治・世界経済における重大な問題となっている。

この価格高騰に至る道筋を論ずるにあたっては、まず2020年に発生したコロナ禍の影響を考察することが有意義である。コロナ禍では、世界経済の急速な落ち込みと、感染拡大防止のために実施された「都市封鎖」の影響で、世界のエネルギー需要が激減し、国際エネルギー市場は一気に供給過剰に陥った。その結果、様々なエネルギー市場において史上最安値を記録するなど、未曽有《みぞう》の価格低下・暴落がもたらされることになった。エネルギー価格の歴史的な大幅下落を経験した国際エネルギー市場では、2020年の半ば以降は低価格から回復過程に入り、その上昇基調が続く中で、むしろ2021年後半からは価格高騰期に転換していくことになった。コロナ禍による歴史的低価格から、同時多発的エネルギー価格の高騰へと、国際エネルギー市場では、2020年以降まさに振り子の針が一方の端から逆の端へと、大きく振れる結果となった。ある意味では、現在の価格高騰の出発点がコロナ禍による価格低下の時期であったと見ることもできる。だからこそ、その出発点において、国際エネルギー市場で何が起きたかをつぶさに観察する必要がある。

新型コロナウイルス感染症（COVID-19）の最初の症例は、2019年12月初旬に中国・武漢で確認されたと言われている。2020年が明けると感染は一気に武漢で拡大、それが中国に広がった。そして瞬く間に中国から世界全体への感染拡大が拡散し、2020年3月には、世界保健機関（WHO）がCOVID-19の「パンデミック」宣言を発出するに至った。その後、2年以上が経過する中、ワクチン開発が行われ、その接種も進められてはいるものの、次々に感染力の強いウイルス変異株が登場し、複数回に及ぶ感染の「波」が世界を襲い続けている。2022年7月時点において、世界の感染者数は累計で約5・5億人、死者も累計で約630万人に達した。現在でも世界中で新規感染者が1日当たり数十万人という水準で発生し続けており、コロナ禍の終息は全く見えていない状況にある。

2020年初から、コロナ禍がパンデミックとして世界を襲い始めると、当時はワクチンも治療薬もない状況下で、各国は感染拡大防止のため、人の移動や集まりを禁じたり、制限したり、商業活動の制限を厳しく実施したりするなど、いわゆる「都市封鎖」を強力に実施し始めた。人やモノの移動を封じ、経済活動も抑制することでウイルスの拡散を防止しようとしたわけだが、その結果、世界経済は一気に収縮することとなった。都市封鎖などの厳しい対策実施下で、消費も投資も大幅に減少し、雇用が失われ、経済は悪循環に陥った。ほとんど全ての主要国で経済成長率が大幅なマイナスを記録し、世界全体での2020年の成長率はマイナス3・1%となった。この落ち込み幅は、1920年代後半の大恐慌時などに匹敵するものであり、まさに未曽有の経済縮小となった。

その結果、当然のことながら、世界のエネルギー需要も大きく減少した。経済成長がマイナス3・1%となったことに加え、「都市封鎖」によって、人やモノの移動が抑制されたこと、経済活動そのものの水準が落ち込んだこと、国際的な移動も感染拡大の中で劇的に低下したことなどが複合的に作用し、エネルギー需要の落ち込みは凄まじいものとなった。

BP統計によれば、2020年の世界の一次エネルギー消費は前年比4・5%減となった（図1-1）。この落ち込み幅はリーマンショックによる影響で1・5%減となった20

図1-1　2020年の世界・OECDのエネルギー別消費の対前年増減率

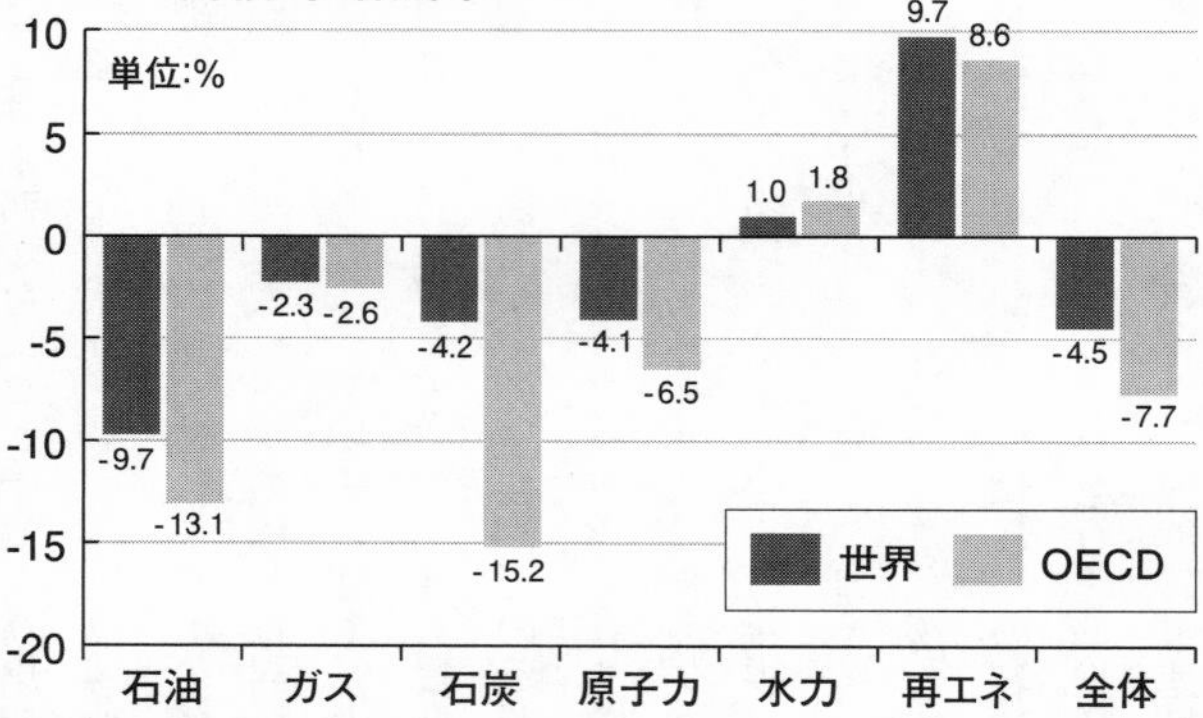

（出所）BP統計2021年版より筆者作成

０９年の低下を遥かに上回り、まさに歴史的なエネルギー需要の低下となった。中でも、移動需要の減少が顕著であったため、移動用のエネルギーである石油需要の減少が著しかった。世界の石油需要は２０２０年には前年比９・７％もの減少となった。しかし、石油以外でも、石炭が４・２％減、天然ガスが２・３％減、原子力も４・１％減となった。唯一、再生可能エネルギーは、優先供給の制度や競争的電力市場において変動費が極めて低い性質などが影響し、前年比９・７％の大幅増加を示した。

　また、このエネルギー需要の落ち込みは、感染拡大が特に顕著であり、人的被害が大きく、そのため都市封鎖を強力に実施した国・

地域で特に大きくなった。米国や欧州でのコロナ禍の被害が大きかったこともあり、経済開発協力機構（ＯＥＣＤ）からなる先進国での２０２０年のエネルギー需要の落ち込みは、一次エネルギー全体で７・７％減、石油需要で13・１％減と未曽有の水準に達した。他方、コロナ禍が最初に拡大した中国は世界に先駆けて感染拡大を抑制し、経済回復も果たしたため一次エネルギーが前年比２・１％の増加となった。中国での増加も影響し、２０２０年の非ＯＥＣＤの一次エネルギー消費と石油消費は、各々前年比２・４％減、６・７％減と大きく落ち込んだが、ＯＥＣＤのそれと比べると相対的には小さかった。

世界のエネルギー需要が、先進国を中心に、そして特に石油で大幅に落ち込んだこともあり、国際エネルギー市場では大幅な供給過剰が発生した。特に需要が劇的に低下し、「需要蒸発」とも称される現象が発生した国際石油市場では供給過剰の圧力が劇的に高まった。

国際石油市場では、特に経済の落ち込みが激しく、「都市封鎖」が強力に実施された２０２０年第２四半期において世界の石油需要が前年同期比で１５２０万バレル／日（Ｂ／Ｄ）、率にして15％もの大幅な落ち込みを示した。この期間中、一時的には世界の石油需要が３～４割程度も低下していた最悪期も存在していたと考えられ、まさに「需要蒸発」

図1-2　2020年以降のWTI原油先物価格の推移

（出所）NYMEX資料等より筆者作成

と言われる未曽有の事態となっていた。そのため、石油市場の供給過剰は劇的に深刻化し、その状況下で、２０２０年4月20日には、米国産の指標原油、ウエスト・テキサス・インターミディエート（ＷＴＩ）原油先物価格がマイナス37ドルを記録するに至った（図１－２）。これは、当日が先物取引の期限となるタイミングが切り替わる限月交代のタイミングで、先物を処分しないと現物の「原油」を引き取らなければならなくなるプレイヤーが、何としてでも引き取り手を探すため、やむなくこの取引を行ったという状況で、極めて特異な状況であったといえる。しかし、その基本的な要因は、未曽有の供給過剰という現象が存在していたことにある。マイナス価格はともかく、2020年の4月後半は基本的にWTIの価格は終値ベースで10ドル台での推移となった。WTIが終値で10ドル台となるのは2002年以来であり、瞬間風速で10ドル以下も記録していたが、それは1986年以来の事態であった。

この未曽有の事態に対応して始まったのが、石油輸出国機構（OPEC）とロシアなどの一部非OPEC産油国が加わる「OPECプラス」産油国グループによる史上最大規模の協調減産であり、それが次節において後述する通り、石油市場の需給バランスを転換していく重要な切っ掛けとなった。

価格の大幅な低下は、もちろん石油だけではなかった。天然ガスやLNGのスポット価格も、それぞれの需給状況を反映して、2020年前半は大きく落ち込んだ。欧州では取引ハブの中心である、オランダでのガス取引ハブ価格、TTFの価格は、2020年初は100万英国熱量単位（BTU）当たり4ドル前後で推移しており、アジアのスポットLNG価格は5ドル前後で推移していた。しかし、同年1月下旬頃からコロナ禍の影響もあって徐々に低下傾向を示し、2月には双方ともに3ドル台を割り込み、なおもじりじりと値を下げていった。原油価格の場合と同様に同年の4月下旬には価格が大きく落ち込み、

図1-3　2020年以降の欧州ガス価格及びアジアLNGスポット価格の推移

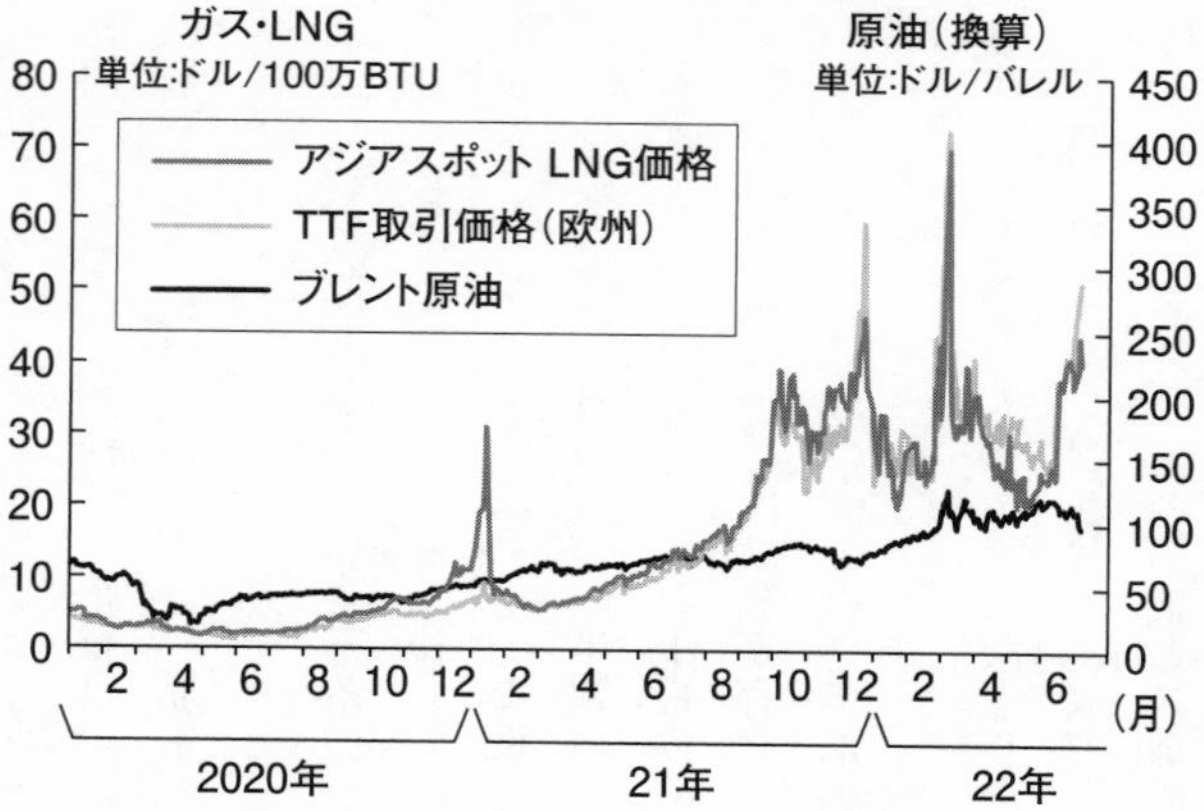

（出所）各種資料より筆者作成

アジアのスポットLNG価格は1・75ドルの最安値を記録、その後も同年7月頃までは1ドル台から2ドル台という低価格水準となった。欧州のガス価格は、5月まで低下圧力が働き続け、1・1ドル台の極端な安値を記録、同じく7月〜8月頃まで、1ドル台から2ドル台と低迷を続けた（図1－3）。

いうまでもなく、この記録的な価格低下の背景にはコロナ禍による需要の低迷・鈍化があり、特に欧州での供給過剰が極めて著しい状況であったことが示されている。天然ガスやLNGはリーマンショックの際よりはるかに大きなインパクトを被り、供給過剰と価格低下に苦しむことになった。

石炭についても同様にコロナ禍では供給過剰と低価格状況が明確に現れた。国際石炭市場の状況を示す一つの指標としては、発電用の豪州産「一般炭」のスポット価格があるが、この価格は2019年を通してじりじりと価格低下が進行し、同年初のトン当たり100ドル前後から年央には70ドル台まで下落、その後一進一退を続け、2020年初には60ドル台後半の推移となっていた。その後、同スポット価格はさらに低下し、2020年にはついに50ドルを割り込み、この歴史的な低価格状況が9月前半頃まで継続したのである。

このように、2020年の第2四半期の前後まで、国際燃料市場では未曽有の低下を見せた原油先物市場などを中心に、史上最安値を示す状況が共通して現れた。それぞれの市場において、固有の特徴や背景要因が存在したものの、やはり最大でかつ共通の原因はコロナ禍による需要の大幅な低下・低迷であり、それによって生じた大規模な供給過剰の圧力であったといえる。

また、これらの燃料価格が大幅に低下したことによって、卸電力市場でも取引価格の低下が顕著に現れることとなった。例えば、次章で価格高騰について後述することになる欧州市場での状況を見ると、英国の電力スポット価格は、2020年初のMWh当たり30ポンド半ば程度（kWh当たり5円程度）から徐々に低下を始め、同年の4月20日前後には約10ポンド（kWhでは1円台前半）にまで大きく低下するなど、低価格が顕在化する状況となった。その後も2020年の前半頃は、時折、英国のスポット価格は10ポンド台（やそれ以下）の低価格が散発するなどの状況となっていた。大陸欧州でもほぼ同様に2020年代の前半は低価格状況が現れていた。

この電力スポット価格の低下には、発電用の燃料価格の低下が大きく影響したが、もう一つ、構造的な要因として再生可能エネルギーの大量導入によって、競争的な卸電力市場において変動費がゼロに近い再生可能エネルギーが流入したことも影響している。こうして、電力市場においてもコロナ禍が世界を震撼《しんかん》させた2020年の前半期を中心に著しい価格低下をもたらす結果となった。

2　コロナ禍の供給過剰から国際エネルギー市場はリバランスへ

コロナ禍によって世界のエネルギー需要が劇的に低下し、それによって生じた大規模な供給過剰で2020年の前半は基本的に国際エネルギー市場の価格が低下し、かつその低迷状況が持続する状況が多くの場合で見られることとなった。

しかし、大幅な価格の低下は、市場における需要と供給両面における反応を引き起こし、その反応が供給過剰を払拭していく大きな力を働かせていくことになった。まさに低価格そのものが供給過剰解消に向けた需給のリバランス（再均衡）の動因となっていったのである。この動きを、供給過剰が最も顕著で、劇的な価格低下が見られた国際石油市場を例にとってみることとしたい。

まずは、国際石油市場における需要サイドの動きを見てみよう。前述した通り、コロナ禍の甚大なインパクトで、2020年第2四半期の世界の石油需要は約8500万B／Dと前年同月比で15％もの大幅低下となった。おそらく、都市封鎖が最も厳格に実施されていた時期などでは瞬間的には世界の石油需要は前年同期比で3割以上の減少になっていたものと思われる。しかし、2020年の後半以降、都市封鎖が徐々に解除・緩和され、経済活動の再開が進むようになると、世界の石油需要は緩やかに拡大の方向に向かった。2020年第3四半期、同第4四半期、2021年第1四半期の3つの期間で世界の石油需要の前年同期比を見ると、各々8％減、6％減、1％減と、いずれも前年比減ではあるが、徐々にマイナス幅が縮小している。2020年終盤頃からは、世界でワクチン接種が開始され、それが拡大する状況となった。コロナ禍そのものは終息の状況とは程遠く、感染拡大は続いていたものの、世界経済も回復の道程を辿り始めた。

その結果、2021年の世界経済は6・1%の成長となり、世界の石油需要も約9750万B／Dと、前年比約561万B／Dの増加となった。前年、すなわち2020年の世界の石油需要は前半の極端な落ち込みのため、通年でも前年比約855万B／Dもの減少となっていたため、2021年の需要増加分（561万B／D）では前年の落ち込みを全て取り返すことはできなかったが、世界の石油需要が再び増加トレンドに戻ってきたことは明らかとなった。

このように、世界の石油需要の増加に関しては、都市封鎖の解除・緩和と世界経済の回復基調が大きな役割を果たしたが、もちろん、低価格そのものも需要拡大には一定の寄与をしたものと考えられる。少なくとも低価格状況は（その逆の高価格状況と異なり）需要拡大の妨げとなることはなく、むしろそれを支える効果を発揮したことは確かであろう。

しかし、低価格がインパクトを強く働かせたのは、やはり需要サイドよりは供給サイドである。原油価格が（先物価格のマイナス価格に象徴される通り）極端な低価格状況になったため、石油収入に依存する産油国は何とか減産を強化して、需給バランスを改善し、原油価格を下支えするより他は無くなった。今日の国際石油市場において、需給バランスの調整を実施しているのは石油輸出国機構（OPEC）とOPECには加盟していないがその中でOPECに協力して減産を実施するロシアなどの産油国からなる「OPECプラス」と言われる産油国グループである。

実は、OPECプラスは2020年3月には協調減産の合意に失敗し、調整が破綻するという状況に直面していた。中でもOPECの盟主であるサウジアラビアと非OPECでこの減産に参加する最大の産油国ロシアの意見がまとまらず、合意が破綻し、それが原油価格暴落を加速化させていたという事実があった。しかし、著しい低価格に直面したOPECプラスは、再び合意を成立させ、2020年5月から、合計で970万B／D（世界の石油供給量の約1割に相当）する史上最大規模の協調減産に合意し、実施し始めた。その後、このOPECプラスによる大規模協調減産は、市場の需給状況（需要の回復や米国石油生産の動向など）を睨《にら》みながら、徐々に減産幅を縮小（すなわち増産）する方向で調整が行われてきたものの、現在に至るまで、OPECプラスとしての減産を継続してきている。

この、主要な産油国グループ、OPECプラスが国家としての戦略的な意思・判断をもって、減産に取り組んできたことが、国際石油市場需給バランスの改善、すなわち供給過剰の払拭に極めて大きな役割を果たした。原油の著しい低価格に直面し、石油収入の激減

図1-4　OECDの民間石油在庫の推移

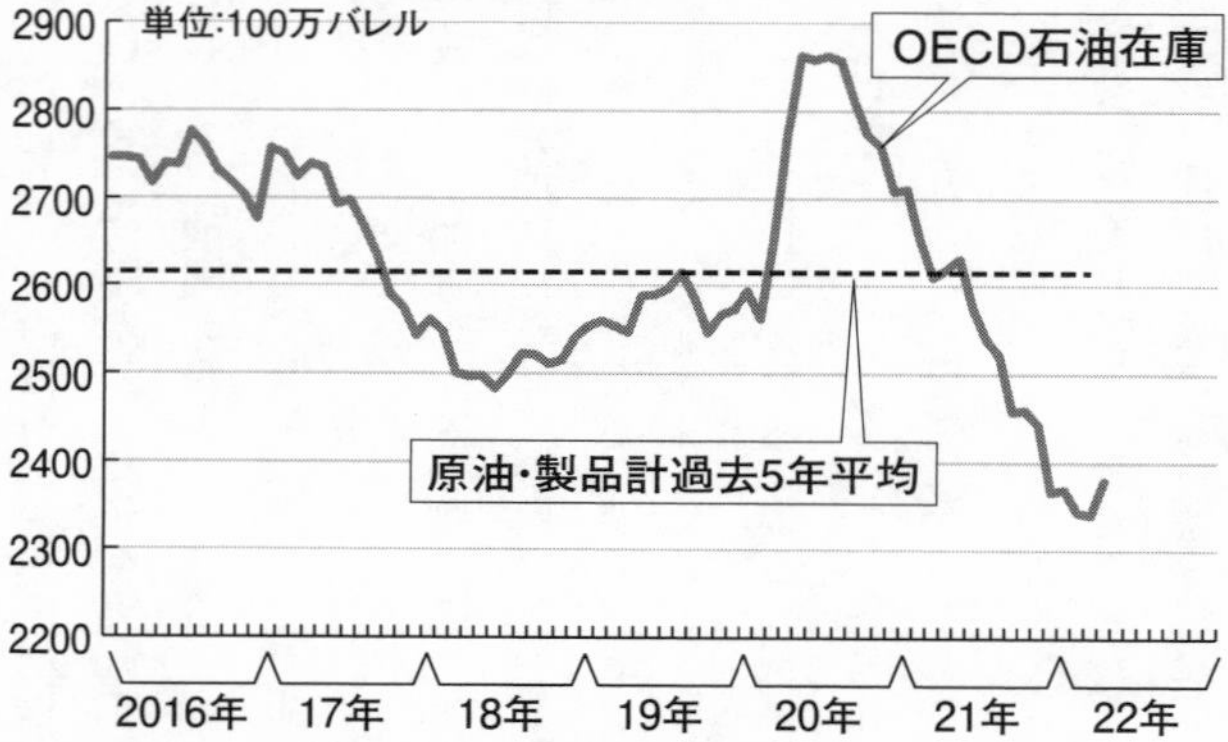

(出所)IEA「月次石油市場月報」各月号等より筆者作成

という国家存亡にもつながりうる重大な危機に対応して産油国が結束し、石油供給を削減して需給調整を行うことで原油価格を支えようとしたのである。

実際、OPECプラスの大規模な協調減産が始まった2020年5月を境に、国際石油市場の需給バランスは方向転換し、リバランスに向かった。それを如実に示しているのが、国際石油市場における石油在庫の動向である。国際石油市場における在庫動向については、統計データの制約から、先進国（OECD）の在庫動向で捕捉することが通例となっている。2020年5月まではOECDの民間石油在庫は大幅に増加し続けていた（図1－4）。しかし、5月以降は在庫増加が止み、夏以降は一転して、在庫は減少に向かった。大規模な供給過剰が徐々に払拭され在庫が低下していく中で、原油価格は徐々に上昇していった。

もちろん、そうはいっても価格の回復は緩やかで時間がかかった。ＯＰＥＣプラスの大規模協調減産が始まった5月の初めには原油価格は20ドル台だったが、まずは30ドル台に戻し、6月には40ドル台を回復した。その後、２０２０年の終盤近くになるまで、40ドル台での一進一退が続くことになったが、少なくとも4月までの「最悪期」を脱することになった。やはりその点において、ＯＰＥＣプラスの減産が果たした需給調整の役割は大きかったといえよう。

低価格に対する市場の反応、という点では、ＯＰＥＣプラスの減産の他にも、もう一つ重要な出来事があった。それは、低価格によって、高コストの石油生産が経済性を失い、それに応じて生産が減少するという市場メカニズムの作用であった。これが最も顕著に現れたのが米国の石油生産の減少である。米国では、シェール革命の進展でシェールオイルの生産が大幅に増加し、２０１０年から大幅な増産が続いてきた（図１－５）。しかし、シェールオイルは基本的には生産コストが高いため、原油価格が低下すると増産が止み、状況によっては前年比減産となる展開が見られてきた。２０１６年に原油価格が低下した

図1-5　米国石油生産の推移と対前年増減の状況

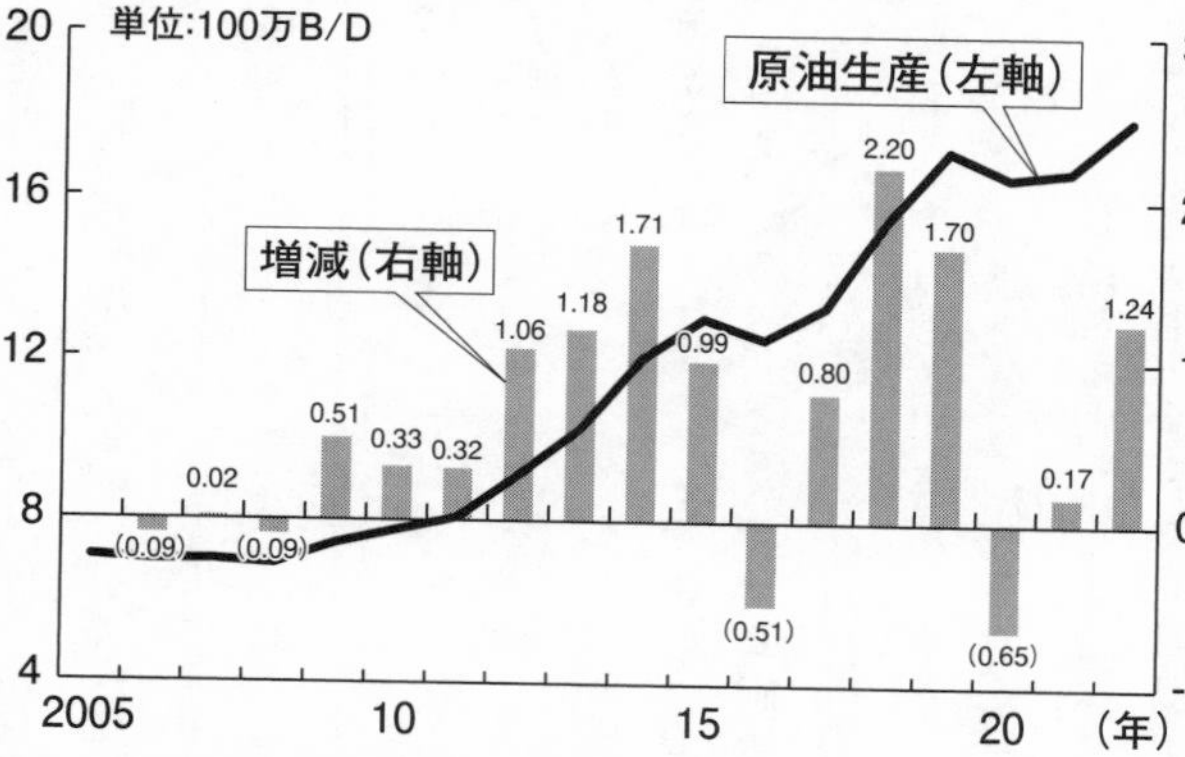

(出所)IEA「月次石油市場月報」各月号等より筆者作成

時も、米国の石油生産は減少したが、２０２０年のコロナ禍による劇的な原油価格低下で、米国の石油生産は前年比65万Ｂ／Ｄ減の１６５６万Ｂ／Ｄとなった。減産幅としての65万Ｂ／Ｄはそれほど大きくないようにも見える。しかし、コロナ禍が発生する前（原油価格が暴落する前）の段階では、米国の石油生産は２０２０年には前年比１６０万Ｂ／Ｄ程度増加する、との見方が支配的であった。１６０万Ｂ／Ｄ増産の予測から、実際には65万Ｂ／Ｄ減産となったという意味で、正味で見ると米国の石油生産はコロナ禍の低価格で２００万Ｂ／Ｄ以上押し下げられたと見ることもできる。

このインパクトは決して小さくなく、そ

してこれがまさに低価格によって、市場の力で自然に減産が発生した、という点が重要でもある。すなわち、同じ減産といってもOPECプラスは、国家の意思・判断で戦略的に減産した、政治的な判断によるものであり、米国の減産は市場メカニズムを通しての減産ということになる。コロナ禍の低価格はこの2つの異なるメカニズムを通して、供給を調整し、それが供給過剰の払拭、需給のリバランス、さらには原油価格の回復をもたらしたのである。

価格メカニズムによる供給の調整、という点ではもう一つ、注意すべきポイントがある。それは、低価格によって、国際石油産業の上流投資（石油やガスの探鉱・開発・生産等に関する投資）が大幅に削減されたことである。原油価格の低下は、国際石油産業・企業にとって、当然のことながら収益の著しい悪化をもたらし、それが合理化・コスト削減に向けた力を働かせ、その中で投資削減が進められた。2020年の世界の石油・ガスの上流投資は、前年比3割減の3090億ドルとなった。投資削減は供給拡大を抑制する働きを持ち、2020年という時点を超えて、その先の需給バランスにも影響を及ぼす。ちなみに世界の石油・ガス上流投資は、2021年も前年よりは若干増加したものの3410億ドルと低迷し、コロナ禍以前の4000億ドル台には遠く及ばない状況となっている。これが2021年以降の国際市場の供給拡大に対しても制約要因となっている可能性がある。

国際石油市場を例にとって説明した、低価格に対する様々な市場の反応は、基本的にその他の市場、すなわち、天然ガス・LNG・石炭市場などでも同様に見られた。端的に言えば、著しい低価格は需要喚起につながり、同時に供給抑制・削減の力を働かせることで、それぞれの市場での需給均衡に向けた作用をもったのである。

例えば、LNG市場では、2020年の前半に見られた100万BTU当たり2ドル前後（時には2ドル以下）の市場最安値水準の低価格によって、特にアジアの新興国・途上国での需要喚起が発生した。大気汚染対策などに即効性を有する天然ガス・LNGが割安の価格で入手できる状況が広がり、新興国や途上国でもこの価格水準でならば購入が進む場合が見られたのである。また、この中で特に中国のLNG需要拡大が一気に進んだことも市場の需給バランスに大きな影響を及ぼした。中国のLNG需要は2020年頃から「爆食」的な拡大状況となり、それは2021年にも継続して、ついに2021年には一気に中国は日本を抜いて世界最大のLNG輸入国に躍り出た。

他方、LNGの供給サイドでは、石油の場合と異なり、OPECプラスのような供給国グループによる協調減産は存在せず、むしろ、低価格に対して個別企業が生産調整をしたり、低価格で高コスト供給が採算割れになったりすることで、供給低下・抑制をもたらした。この時期、それぞれのＬＮＧ供給プロジェクトにおいては、ＬＮＧ契約の範囲内で供給調整を図る動きなどが進められた。特に、米国ＬＮＧは、その価格決定方式が米国での取引ハブ価格に液化費用や輸送費などの「固定費」を加算する方式であることが基本のため、その固定費の存在によって、スポットＬＮＧ価格が大幅に低下したり、原油価格連動方式のＬＮＧが原油価格暴落で価格下落したりすると割高感が強まり、相対的に高コスト供給となってしまう場合が顕在化した。その中で、米国ＬＮＧの固有の特徴である柔軟性も活かし、供給のキャンセルや削減などが実施されたのである。その意味では、石油市場における米国のシェールオイル同様、ＬＮＧ市場での米国ＬＮＧは低価格に対して、価格メカニズムの作用を通じて供給調整役を果たしたとも見なされる。

多方、国際的な天然ガス市場では、２０２０年前半の低価格・供給過剰状態に対応した、ロシアの戦略的な動きが注目された。すなわち、ロシアは欧州市場での供給過剰に対応して、ある意味では戦略的な減産を実施して、重要な需給調整役を果たしたのである。２０２０年前半、欧州ではコロナ禍の影響で、ガス需要が前年比減少する事態となった。しかし、興味深いことに世界的な供給過剰で余ったＬＮＧが欧州市場に安値で吸収される形になり、この期間の欧州のLNG輸入は前年比で増加したのである。全体の需要が低下する中、LNG輸入が増加した時、需給のバランスを取ったのはロシアのパイプラインガス輸出であった。ロシアのガス輸出はまさに大幅な減少を示したのである。欧州市場に対して、ロシアのガスは最も競争力を有する供給源でもある。そのロシアが、もし、流入するLNGと正面から競争するため輸出を減少させることなく価格競争に打って出れば、欧州のガス価格も、LNGスポット価格も、より一層大幅に下落することになったものと思われる。しかし、ロシアの選択は価格競争ではなく、戦略的に輸出を削減することで需給バランスのさらなる過剰を回避するものであった。その意味では、欧州のガス市場に対して、あるいは世界のLNG市場に対して、ロシアのガス供給が有する戦略的需給調整の能力・底力が、この場面でも発揮されたということができるだろう。

3　2021年以降に顕在化した同時多発的エネルギー価格高騰

国際エネルギー市場は2020年後半頃から局面が大きく変わっていった。2020年前半のコロナ禍による大規模供給過剰とエネルギー価格の著しい低下という時期から、その低価格に対応した市場における様々な反応で需給がリバランスに向かう2020年後半からの時期を経て、全てのエネルギー源が同時多発的に高騰に向かう時期に入ったのである。

まず、原油価格は、2021年初は50ドル台の価格推移で始まったが、2月に60ドル台に復帰し、じりじりと値を上げて6月には70ドル台を記録した。これはまさに、石油需要の回復とOPECプラスによる協調減産で石油在庫が低下し、過去5年平均を下回る状況にまでリバランスが進んできたことと軌を一にしている。70ドル台を前後した相場は9月頃まで続いたが、9月に米国を襲ったハリケーン被害で米国の生産が大きく低下したことなどをきっかけに上昇基調に入り、10月にはついに80ドル台を超えた（前出、図1-2）。この頃から、原油価格の上昇が経済や市民生活に悪影響を及ぼすとの懸念が主要消費国で高まりを見せるようになり、後述する欧州や日本でのエネルギー補助金導入が始まるきっかけとなった。

原油価格の高騰に対応して、OPECプラスに対して米国を始めとする主要先進消費国などが増産拡大を要請したが、OPECプラスは慎重な姿勢を崩さず、追加増産は見送られ続けた。産油国が動かない状況で、11月には米国が異例の原油価格（ガソリン価格）引き下げを狙いとする有志連合（米国・日本・中国・韓国・インド・英国）による協調石油備蓄放出に踏み切った。それだけ原油価格高騰に対応する必要性が高まっていた、ということでもある。その後、さらに新型コロナウイルスの変異株、オミクロン株が猛威を振るい始め、その影響もあって原油価格は11月末から12月初めに掛けて一時60ドル台まで下落したが、それが落ち着くと再び原油価格は上昇し、2022年初には80ドル台に復帰した。さらに、ウクライナ情勢の緊張で1月末には90ドル台、そして2月24日のロシアによるウクライナ侵攻を受けて100ドルを突破した。ロシアに対する欧米を中心とした経済制裁が強化される中、米国・カナダ・英国によるロシア産エネルギーの禁輸発表を受けて、3月7日には瞬間風速で130ドルを超えるまで急騰、リーマンショック後の最高値を記録したのである。

その後も、市場における様々な展開を受け、原油価格は大きく変動しているが、基本的に100ドルを上回る高値での不安定な値動きが続いている。

原油価格以上に高値と大きな変動を示したのが欧州の天然ガス価格とアジアのスポットLNG価格である。そして最初に大きく価格上昇を示したのはアジアのLNGスポット価格だった。2020年後半を通じて、中国の爆食もあって需給がタイト化の方向に向かい、同スポット価格はじりじりと上昇、一部プロジェクトでの供給低下も相まって、価格が1

00万BTU当たりで10ドルを突破する上昇を示していた。ここで、2020年末から2021年初にかけて、日本を始めとして北東アジアを襲った大寒波の影響で電力需給が一気に逼迫すると天然ガス火力向けの燃料需要が急激に増加、LNGスポット価格が30ドルを超える急騰を示した（前出、図1－3）。原油価格に換算すると1バレル200ドル近い高価格である。この大幅な価格上昇は寒波が去ると共に低下し、市場は落ち着くかに見えた。しかし、3月頃から再びLNGスポット価格は上昇に転じ、5月には10ドル台に戻り、9月には20ドル台へと上昇期基調を続けた。この背景には、引き続き、中国を中心とした需要の拡大があり、それにLNG供給が十分に追いつかないという需給状況が影響したといえる。もう一つは、後述する欧州のガス需給の逼迫と価格高騰で、アジアのスポットLNG価格が連れ高になった、という要因がある。供給柔軟性を持つ米国LNGの拡大などで、世界のガス・LNGスポット価格は連動性を高めている。欧州の需給が逼迫すれば欧州によるLNG調達が拡大し、それがスポット価格を引き上げるという作用を働かせる。欧州とアジアのガス・LNGの市場価格が連動して上昇していく局面に入ったのである。

その欧州では、2021年初から春先までの低気温状況の下、旺盛なガス需要に対応してガスの在庫が低下、ガス価格が上昇基調となった。欧州では2つの方法で追加的なガス供給確保を図ったがそれはどちらも十分に機能しなかった。第1は、LNG調達の増加である。ところが前述の通り、この期間はアジアでのLNG需要の拡大でLNG需給が引き締まりスポット価格が上昇するなど、欧州がLNG調達を追加的に行うことは困難であった。第2は、欧州にとって最大の供給者であるロシアからパイプラインによる供給で追加調達を図ることであった。ところが、2021年の後半にかけて、ロシアからの欧州顧客との長期契約による供給は遵守されていたが、それ以上の追加供給は捗々《はかばか》しく進まなかった。ロシア国内でのガス需要の増加などもその要因として指摘されたが、結果的には追加供給は進まず、欧州の低在庫状況が持続し、ガス価格には上昇圧力が掛かり続けた。

こうして、2021年6月に100万BTU当たり10ドルを超えた欧州の代表的なガス取引ハブ、TTFでの価格は、夏場以降も上昇を続け9月には20ドル台を記録し、同月末にはついに30ドルも突破した。冬場に備えてガス需要が増加し、かつ在庫積み上げが必要になる中、ロシアとのガス供給を巡る意見対立が発生し、ガス価格は30ドル前後での高値推移が続く状況となった。

同年の10月以降になると、ロシアがウクライナ国境付近に軍を配備・増強し、ウクライナ情勢の緊張が一気に高まりだした。ロシアによる軍事的な圧力の高まりと侵攻への懸念から12月には一気に価格が上昇し、12月20日には年内での最高値約60ドルを記録するに至った。2022年に入って最高値圏からは大きく低下したものの、20ドル台後半から30ドル台での不安定な高値圏の価格推移が続いた。そして、2月24日の軍事侵攻開始によってふたたび欧州のガス価格は一気に上昇、3月7日には米国等によるロシア産エネルギーの禁輸の報を受けて、70ドルを超える史上最高値を記録したのである。この価格は原油換算ではバレル当たり400ドルを超えるまさに異常な高価格であった。そして、欧州のガス価格高騰はそのままアジアのLNGスポット価格に連動し、70ドル近い史上最高値を記録するに至ったのである。

また、価格高騰は原油・天然ガス・LNGに止《とど》まらず、石炭価格も大幅な高騰を示した。2020年央には一般炭スポット価格はトン当たり50ドルを割る低価格状況となり、それが9月頃まで続いたが、そこから需要の回復に伴って市況は反転、上昇を始めた。同年11月には60ドル台、同年末には80ドル台と急ピッチで価格が上昇した。2021年に入ってからもじりじりと徐々に値を切り上げ、5月に100ドル台となった後は急激な上昇期に入り、7月に150ドル、10月に200ドル、さらには250ドルと、コロナ禍における最安値の5倍強の値上がりとなった。

この2021年に入ってからの急激な価格上昇の背景には、中国における石炭需給問題と国内石炭価格の高騰がある。世界の5割を占める最大の石炭市場である中国において、気候変動対策と炭鉱安全問題等から国内石炭生産が絞られ、その結果、国内の需給が逼迫、国内取引価格が一気に上昇した。石炭供給の制約による需給逼迫と価格上昇で、石炭が主力燃料である電力部門でも需給逼迫が発生し、2021年には中国で電力不足問題が顕在化した。この中国の国内石炭価格の高騰が国際市況に大きな影響を与え、前述の大幅なスポット価格上昇をもたらしたのである。

この状況に直面し、中国では電力需給対策が実施され、国内石炭生産を増加させる方向に政策が変化した。また、石炭輸入の確保にも取り組むことになった。この動きも、国際市況の押上要因となった。中国での対策実施が一定の功を奏したこともあり、同スポット価格は11月頃にかけて150ドル前後まで低下する局面もあったが、その後再び上昇期に入った。ウクライナ情勢の緊迫で国際エネルギー市場全体としての供給不安と需給逼迫懸念の流れが強まり、石炭価格も大きく上昇することになった。特に米国等の禁輸措置が発表され、原油・天然ガス・LNGスポット価格が一気に急騰したタイミングと同時に、一般炭スポット価格も400ドルを超え、史上最高値を更新したのである。

こうした流れの中で、電力価格も基本的上昇傾向が特に欧州市場において顕在化した。また、前述の通り、2021年には中国において電力需給逼迫が発生したが、その他にも、2021年初には大寒波の影響で日本の電力需給が逼迫、同2月にはテキサスで電力危機が発生、さらに2022年3月にも日本で深刻な電力需給逼迫が発生した。

欧州の事例を見ると、欧州では、2021年に入って電力取引所におけるスポット価格が上昇傾向を示し、特に9月以降は急騰する状況となった。前述の通り、コロナ禍の影響を受け、2020年の欧州電力スポット価格は大きく低迷したが、コロナ禍前の数年間は概《おおむ》ね月間の平均値で30~50ユーロ/MWh（約4~7円/kWh程度）の範囲を中心に推移していた。しかし、同価格は2021年に入って大きく上昇、夏前には100ユーロ/MWhを突破、9月以降は200ユーロ/MWhを上回る展開を示した。特に電力需給逼迫が著しかった英国では、9月には1日平均値で498ユーロ/MWh（約65円/kWh）という通常時の約10倍に相当する高値が付いた。また、一時的に380円/kWhという空前の高価格も記録した。

その後もウクライナ情勢の緊迫化と深刻化で燃料価格が上昇すると、欧州の電力価格は基本的に高止まりを続け、かつ極めて不安定な値動きを示している。2022年に入ってからは、さらにその傾向が深刻化し、燃料価格高騰と合わせて、一日平均値で500ユーロ/kWhを突破するような高価格も欧州の各国市場で記録している。

4　同時多発的エネルギー価格高騰の原因

国際エネルギー市場では、これまでも様々な原因で原油価格が高騰したり、ガス価格が上昇したり、様々な市場不安定化が発生してきた。しかし、多くの場合、その価格高騰は個別市場での需給逼迫や波乱要因の影響で発生し、ある意味では個別事象として価格高騰が見られるということであった。

しかし、2021年後半以降のエネルギー価格高騰は、原油・天然ガス・LNG・石炭・電力の全てのエネルギー源・市場において、同時多発的に価格高騰が発生する、という特異な事象であった。こうした同時多発的なエネルギー価格高騰の発生は、筆者の記憶にもほとんどない。おそらくは1970年代の石油危機時におけるエネルギー価格高騰に匹敵するような、極めて特殊でユニークな問題であるとも言えるだろう。

2021年後半以降のエネルギー価格高騰の背景要因としては、個別の市場ごとに、前節で述べた通り、それぞれ固有の需給要因や特殊要因が影響を及ぼしている。しかし、個別の要因の影響を超えて、同時多発的なエネルギー価格高騰が発生した原因を探ることも重要である。

筆者は、今回の同時多発的エネルギー価格高騰をもたらした背景要因として、以下の5つが重要であったと見ている。第1には、コロナ禍からの反動がどの市場においても共通して作用したというポイントを挙げたい。全てのエネルギー源の市場において、2020年のコロナ禍の深刻な影響によって、大規模な供給過剰が発生し、価格が暴落し、未曽有の低価格状況に陥った。その後、コロナ禍の回復過程において、エネルギー需要が徐々に回復し、需給が均衡に向かっていく中で、いずれの市場においても需要拡大に対応して供給を拡大させていくことに「何らかの制約」が存在したため、結果として需給の均衡から逼迫に向かうことになった。コロナ禍における供給過剰から、回復過程を経る中で需給逼迫に、市場の方向感が正反対に転じたわけだが、その際、相場の格言に言う通り、「谷深ければ、山高し」となった。コロナ禍における価格低下が未曽有のものであったため、揺り戻しの反動が非常に大きく、価格が一気に上昇する局面を迎えたということである。

第2に、最初の要因で述べた通り、低価格からの反動で価格が上昇した、ということ自体はあるにせよ、なぜ、今回のように極端に「山高し」となったのかという理由を考える必要がある。その原因の一つとして考えられることが、国際エネルギー市場において、どのエネルギー源の市場においても、基本的に供給余力・余剰が低下しており、いざ需要が回復・拡大してきた時に、それに対応して十分な追加供給を速やかに行うことができなかったことが共通して「山高し」という現象を引き起こしたということである。

それでは、なぜ、各エネルギー市場で供給余力が低下したのか。その原因は、各市場において、共通して、市場競争が激化してきており、その対応の中で供給余力が低下してきた、と考えられる。エネルギー市場での競争が厳しくなれば、各主体は生き残りのため、合理化・コスト削減を徹底していくことになる。合理化・コスト削減は、無駄・余剰を省くことを求め、余計なコストにつながる供給余力はできるだけ削《そ》ぎ落し、削減されていくことになる。これは、競争に勝って生き残るための各主体の対応というミクロ的な観点では合理的なものである。しかしその結果をマクロ的・俯瞰《ふかん》的に見ると、市場全体において供給余力が低下するということになる。コロナ禍からエネルギー需要が徐々に回復し、拡大していく中で、それぞれの市場において、利用可能な供給余力に限りがあったこと、あるいはその供給余力の利用が十全に機能しなかったことによって、需給が急速に逼迫に向かったと考えられるのである。供給余力の限られた市場では、何らかの不測の事態が発生した時、需給が急速に逼迫し価格が高騰しやすくなるという特徴もある。

第3に、世界的な取り組みが進められてきた気候変動対策強化の中で、低炭素化・脱炭素化に向けたエネルギー需給構造の変化も、今回のエネルギー価格高騰に注目すべき影響を及ぼした可能性がある。一例として、低炭素化・脱炭素化に向けた取り組みで、世界的に再生可能エネルギーが推進されてきたが、その再生可能エネルギーの供給に不調が発生したことが様々な市場での電力需給逼迫の要因となったことが指摘されている。太陽光・風力発電は各国の電力あるいはエネルギーミックスにおいて一定の重要性を占めるに至るまでシェアが拡大してきている。その中で、2021年後半からの欧州の電力需給逼迫では、まず風力発電が長期不調に陥ったことが問題の端緒となったことが指摘されている。加えて、2021年初の日本における電力価格高騰では寒波襲来期における太陽光発電の不調がその原因の一つとなった。同年2月に発生したテキサス電力危機では、歴史的寒波の中で風力発電の不調が電力需給逼迫の引き金の一つとなった。2022年3月の東京・東北地域における電力需給逼迫でも、太陽光発電の不調が一つの要因になったことが指摘されている。

重要性を増してきた、自然変動型の再生可能エネルギーに不調が発生すると、どうしても需給バランスには大きな影響が発生しやすくなる。ただし、その時に、不調に陥った再生可能エネルギーの供給低下・減少分を速やかに、タイムリーに代替するだけの「供給余力」が市場に存在してさえいれば、今回のような問題は回避できていた、ということも言えるだろう。自然変動型の再生可能エネルギーが大きく拡大すればするほど、自然条件等の影響で不調が発生した場合の需給バランスの影響は大きくなる。同時に、その時に需給バランスへの影響を吸収するに足るだけの供給余力が市場に存在していなかったことも重大な問題であった。重要性を高めてきた自然変動型再生可能エネルギーの不調と、それを補う供給余力の不足・低下、この2つの組み合わせが問題であったと言えよう。

また、低炭素化・脱炭素化への取り組みが強化される中、上流部門を中心として化石燃料分野への投資が制約されていく可能性が需給逼迫要因になるという問題が世界の関心を集めるに至っている。2021年5月にIEAが発表した報告書で、世界が2050年に温室効果ガス（Green House Gases、GHG）排出ネットゼロになるシナリオでは、現時点から石油・ガスでの新規上流投資が不要になる、という見方が示され、多くの主要メディアが「IEAが石油・ガスの新規投資は不要であると分析した」といった誤った報道を流した。また、主要国が21世紀中ごろのカーボンニュートラルを目指す政策を発表する中、脱炭素への取り組み強化のために、化石燃料プロジェクトへのファイナンスの抑制・削減・停止を求める動きが強まる傾向が顕在化している。

実際、化石燃料分野、そして中でも上流投資分野では、2020年以降、投資額がコロナ禍以前に比べて約3割も大幅に減少し、低水準が続いている。国際エネルギーフォーラム（IEF）とIHS Markitの報告書によれば、2020年の世界の石油・ガス上流部門投資は2019年の4410億ドルから2020年には約3割減少し、3090億ドルとなったと指摘した。その後、2021年には若干回復したものの投資額は3410億ドルに止まっており、今後この投資額がコロナ禍前の水準に戻るのかどうか、さらに拡大するのかどうかが重要な注目点になる、と分析している。こうした上流部門投資の減少が供給力増加の制約となっていることは間違いない。ただし、2021年後半以降の需給逼迫については、直近までの投資の減少が影響したものである。他方、現在、世界的に広がりを見せている化石燃料投資に対する「逆風」は現時点での供給力に対してではなく、「今後の供給力の増加」に対する深刻な制約要因となりうるものである。その点、化石燃料投資への影響については、コロナ禍以降の投資低迷と今後の投資制約の2つに関して、時間軸を意識した区別・違いに留意する必要があろう。

ただし、今日の国際エネルギー市場における価格決定に関しては、とりわけ先物市場でのそれに象徴的に見られる通り、将来についての市場関係者・取引参加者の「先読み」が先物取引の売買を左右し、その結果、既に現時点から価格決定に影響を及ぼすことが多くみられる点に留意すべきである。その意味で、脱炭素化による将来の投資削減とその影響という問題に関する「先読み」が、今日のエネルギー価格決定に影響を及ぼしている可能性は無視できないものとも考えられる。

第4に、まさに、様々な理由によって、同時多発的に各エネルギー源で需給逼迫と価格高騰が発生してしまっているため、その状況から抜け出すことが困難となる状況が生まれ、悪循環が発生している、という点がある。つまり、もし仮に、国際エネルギー市場における需給逼迫と価格高騰が発生しているのが石油と天然ガス・LNGだけであるならば、需給や価格が安定している石炭へ、当座を凌《しの》ぐため、シフト・代替を図ることで、石油・天然ガス・LNGの需給緩和を図ることができる可能性がある。しかし、今回はどのエネルギー源でも需給逼迫と価格高騰が発生しているため、「逃げ道」が存在しなかった。そのため、同時多発的価格高騰が持続し、構造化してしまったという点があるように思われる。

そして、最後に第5として、地政学リスクの影響がある。2021年の終盤以降は、ウクライナ情勢の緊迫化が全てのエネルギー市場において、深刻な地政学リスク要因として意識され、ロシアのエネルギー輸出に支障・途絶が発生する可能性・不安感から、全てのエネルギー価格の高騰が加速化された。ウクライナ危機については、次章で詳細に論ずるが、ウクライナ危機の結果、途絶リスクが意識されたロシアのエネルギー輸出は、2020年時点で石油については世界シェア11%、ガス25%、石炭18%を有している。これらエネルギーは、欧州および中国などアジア向けに輸出されているが、ひとたび、この輸出に大規模な途絶・支障が発生すれば、国際エネルギー市場は一気に不安定化し、価格高騰は避けられない。ウクライナ危機が深刻化していく中、ロシアのエネルギー輸出の先行きには大きな不安が生じ、それが2021年終盤以降、今日に至るまで、エネルギー価格全体の大幅高騰をもたらす原因となった。なお、こうした地政学リスクが価格高騰に大きな影響を及ぼすのは、国際市場での需給が逼迫している時期だからこそ、という面がある。その意味で、地政学リスク単独の影響というよりは、前述の4つの共通要因と複合する形で、ウクライナ危機が同時多発的価格高騰をさらに加速化させた原因・要素となったのである。

5　エネルギー価格高騰への対応策の展開とその影響

エネルギーは、市民生活と経済活動にとって必要不可欠の物資である。ただし、市場が安定し、価格が手頃な水準であるときには、「水や空気」のように当たり前に供給されているものという認識が一般的で、エネルギーの安定供給に特段の意識・関心が寄せられることはあまりない。しかし、一度、エネルギーの価格高騰が現実問題となり、それが深刻化し始め、世間の注目を集めるようになると事情が変わる。エネルギーは必要不可欠なものだから、短期的な需要の価格弾力性は大きくなく、価格上昇した分に応じて、消費者であればエネルギー代金の支払額が増加し、可処分所得が低下する。また、企業にとってみれば、エネルギーコストの上昇で経営が圧迫され、悪化に向かう。また、マクロ経済的に見ると、エネルギーの輸入国であれば、エネルギー輸入代金が増加し、海外への「国富の流出」が拡大する。こうした事態になれば、政府や当局はエネルギー価格高騰対策を講ずる必要に迫られるのである。

２０２１年後半以降の同時多発的エネルギー価格高騰に直面して、まず欧州委員会が対応策に乗り出した。２０２１年10月には、欧州委員会が「Tackling Rising Energy Prices:

A Toolbox for Action and Support」と題する政策文書を発表し、エネルギー価格高騰に対する短・中期の対応策を提示している。そこでは、コロナ禍によって既に大きな経済的被害を受けている欧州諸国の消費者をエネルギー価格高騰による悪影響から守るため、短期的な措置として、低所得者層を中心に、エネルギー料金の一部負担などの直接補助やエネルギー料金の支払いの一時的猶予や供給停止の回避策実施、さらには低所得者層向けの一時的な減税などの対応策が示されている。また、エネルギー価格高騰によって極めて厳しい経営状況に置かれている企業や産業界へのEUルールに沿った国家補助も対応策として明示された。

日本でも、2021年11月には、ガソリン価格高騰に対応し、小売価格170円／リットルを超える分を石油元売り会社に補助し、価格上昇を抑制する補助制度が導入された。当初は補助額が5円／リットルとされていたが、その後の原油価格高騰に対応して補助額が25円まで増額され、さらに35円まで増額された。また、ガソリン以外の石油製品への補助制度適応の拡大も進められた。

米国では、連邦規模での補助金制度は実施されていないが、米国独自の価格高騰対策が国際石油市場を舞台に展開された。すなわち、支持率低下に苦しむバイデン政権が、米国市民が敏感に反応するガソリン価格の高騰に直面し、ガソリン価格抑制のため原油価格の引き下げを狙って、OPECプラス、特にその盟主であるサウジアラビアに対して、追加増産を要請するという「政治的対応」を取ったのである。そしてOPECプラスがその要請を受け入れず、計画通りの生産政策を維持することが明確になるや、2021年11月には、異例ともいえる、原油価格引き下げを目的とした戦略石油備蓄（SPR）の放出を決め、かつ日本、韓国、中国、インド、英国と連携し、共同備蓄放出実施の決定を行った。なお、国際市場を舞台に展開された例としては、欧州での事例もある。欧州では2021年の天然ガス価格高騰に対して、欧州の政策サイドから同地域への最も主要なガス供給国であるロシアに対して、長期契約数量以上の追加増産を求める声も上がった。これらの事例は、まさにエネルギーが重要だからこそ、国際市場で取引されるエネルギー財に関しても、価格高騰を巡って政治的な関与や介入が試みられることになったことを示しているのである。

エネルギーを含め、財の価格は市場（の需給）が決めるべきであり、市場への徒《いたずら》な介入は市場を歪め、市場機能の十全な働きを妨げるため、可能な限り回避すべきである、というのは基本的に政策決定者にとっての重要な原則となっている。しかし、その基本的原則を踏み越えてでも、政策的に対応することが選択されることがあり、特にエネルギーのように市民生活や経済活動に直結する財の価格高騰を放置・看過することはできないということになる。市場機能を最大限活用すべきという理念と、消費者保護の政策的配慮の必要性という現実の間で角逐《かくちく》が起こる。それだけ、エネルギー問題は潜在的に、国際・国内政治の両面においてセンシティブであり、難しい舵取りが求められる問題ということができるだろう。

また、今回の価格高騰に対する政策的な対応については、その特徴の一つとして、米国・欧州・日本のような先進国において、明確なリアクションが取られ、価格高騰対応が実施されたことがあるであろう。平均的な所得水準の高い先進国であっても、やはりエネルギー価格の高騰は決して看過できる問題ではない、ということが明示されたといって良い。まして、相対的に所得の低い国、途上国や新興国においては、エネルギー価格の高騰はより深刻な問題として負の影響を及ぼすことになるのは容易に想像できる。欧州などが低所得者層向けに料金補助制度を導入するのも、低所得層へのインパクトが大きいと危惧しているからに他ならない。エネルギー価格高騰・上昇は、先進国にとっても重大な意味を持ちうるものであり、途上国・新興国にとってはさらに大きな問題を引き起こす可能性を持つのである。

なお、2021年後半以降のエネルギー価格の高騰によるインパクトとして、もう一つ世界的に注目されているのはインフレーションへの影響である。近年、世界経済における主要な課題の一つは、デフレとの戦いであった。リーマンショックからの回復やコロナ禍からの回復も、基本的には経済回復と成長を目指すものであり、その流れと軌を一にしている。しかし、2021年後半以降、物価上昇が世界の経済問題として急速に関心を集めるようになった。主要国において、消費者物価指数（CPI）が上昇基調を辿り、ついに2022年5月の米国のCPIは8・6%上昇と、40年ぶりの高水準となった。OECD全体でも、2022年4月のCPIは9・2%上昇と極めて高い水準になっている。

このCPI上昇の背景には、コロナ禍の影響による世界的なサプライチェーンの混乱、労働力不足、食料や原材料価格全般の高騰など、様々な原因が存在しているが、中でも最も重要な要因として指摘されているのがエネルギー価格の高騰である。世界経済は、エネルギーや食料価格高騰に牽引《けんいん》される形で、インフレ問題の深刻化に直面しているのではないかとの危惧・懸念が広まり始めた。そのため、主要国では、インフレを意識して金利政策を見直し、引き締めの方向に動く展開が顕在化するようになっている。実際、米国の連邦公開市場委員会（FOMC）は22年ぶりとなる0・5％の利上げなどからなる金融引き締め政策を2022年5月に発表し、さらに6月には0・75％の利上げを発表した。

エネルギー価格高騰とインフレ高進、その対応策としての金利引き締め、という動きを見ると、1970年代の石油危機の時期に同様の展開があったことが思い起こされる。当時、深刻なインフレを退治するために取られた高金利政策が、1980年代前半の世界経済低迷・鈍化につながった。当時と現在では状況には様々な差異もあるが、今後のエネルギー価格動向やインフレの進行、そしてそれに対する金融政策の展開と世界経済への影響などには十分注意を払っていく必要があるだろう。

最後に、エネルギー価格高騰に対して、消費者保護のための補助金政策や国際市場への介入、さらには金融政策の調整など様々な政策が取られることになりつつあるが、エネルギー価格高騰に対して、エネルギー市場の安定化を追求すること、エネルギーの安定供給確保を図ることが本筋であり、王道の政策となることは自明の理である。そのため、現在の市場状況や国際エネルギー情勢全体に対応して、エネルギー安定供給及びエネルギー安全保障政策が抜本的に強化される流れが世界的に強まっている。その内容・詳細については、別途第3章で詳述することとしたい。

第2章
ウクライナ危機のインパクトと地政学

2022年2月24日、ロシア軍がウクライナへの侵攻を開始し、ウクライナ危機が世界を震撼《しんかん》させることになった。国連安全保障理事会常任理事国の一つであるロシアが、ウクライナの主権を侵害し、力による現状変更を試み、国際秩序への重大な挑戦となる軍事侵攻に踏み切ったのである。欧米日などの国際社会は、ロシアによる軍事侵攻を強く非難し、従来とは比較にならないほど強力な対露経済制裁を実施し、それを段階的に強化してきた。

戦争と経済制裁が並行する中、ウクライナ危機による地政学的な緊張が極めて高まり、その中で、ロシアのエネルギー輸出の先行きに対する不安感が国際エネルギー市場の安定を大きく揺さぶることとなった。エネルギー価格は一気に高騰し、エネルギー供給支障・途絶の発生の状況次第で国際エネルギー市場の著しい不安定化は避けられないとの懸念が強まった。その中で、エネルギー安全保障強化の重要性が強く認識され、欧州を中心にエネルギー政策において大きな変化が生じている。

本章では、上記のウクライナ危機による国際エネルギー情勢全体に対するインパクトについて、様々な角度から現状を整理・分析し、そこから得られるインプリケーションをまとめることとする。

1　ウクライナ危機――経緯・現状・今後

2022年2月24日のロシアのウクライナへの軍事侵攻開始で、ウクライナ危機は一気に抜き差しならない深刻な国際問題となった。2021年終盤にかけて、ウクライナ国境に19万人規模ともされるロシア軍が集結するようになると、軍事侵攻の可能性が懸念されるようになったが、まさにこの日に戦争が現実のものとなり、ウクライナを巡る地政学情勢が国際政治・安全保障における最大の問題・危機となったのである。ただし、こうして軍事侵攻によって一気に局面が劇的に変わったとはいえ、ウクライナとロシアの間の緊張関係は2014年以降継続して存在し続けていた。また、さらに長い時間軸で見るならば、冷戦終結後に旧ソ連が崩壊、ロシアとウクライナがそれぞれに独立した国家として歩みを始めたところにその淵源を求めることもできるだろう。

とはいえ、ロシアとウクライナの緊張関係が急速に高まったのは、2014年にウクライナで発生した反政府デモで、親ロシア的なヤヌコヴィッチ政権が崩壊し、親西欧的なポロシェンコ政権が誕生したことに端を発している。同新政権発足の後も、ウクライナ国内では、東部地域で親ロシア勢力が影響力を持ち続け、内戦状況に陥ったがロシアは親ロシア勢力の支援を継続した。そのため、ウクライナでは政権側と東部の親ロシア勢力の背後に存在するロシアが対立を続ける構造が定着し、持続してきた。また、ロシアは2014年にクリミア併合を強行し、世界の非難の的となり、欧米を中心に対露経済制裁が発動されるに至った。欧米の対露経済制裁は2014年以降継続されてきた、というのが事実である。また、ウクライナ東部を巡る内戦の停戦のため、「ミンスク合意」がまとめられたが、今日まで紛争解決には至らず、火種が残り、何時《いつ》それが大きく再燃しても不思議ではない状況が続いてきた。

2019年に発足したゼレンスキー政権は、ウクライナのNATO加盟方針を明確に打ち出した。ロシアはこれに強く反発し、両国間の緊張関係は高まる方向に向かった。2021年7月にプーチン大統領が発表した長文の論文が注目されることになった。その論文では、「ロシアとウクライナの一体性」が強く主張され、かつNATOの東方拡大を拒絶する姿勢が明確に示された。識者の中には、この論文の主張は、その後のウクライナとの対決や侵攻などの布石あるいは理論的な支柱になっていたのではないかと見る向きもある。その後、ロシアはウクライナ国境での軍備増強を進め、19万人規模ともされる軍を集結させた。この軍備増強は、ウクライナに対する強い圧力であり、単なる圧力を超えて、実際にロシアがウクライナに侵攻する可能性があるとの観測や懸念も急速に高まった。こうして、ウクライナ情勢の緊迫化が進み、軍事侵攻の懸念が高まったのが2021年終盤である。

2022年2月21日、ロシアはウクライナの東部地域で親ロシア勢力が支配する「ドネツク人民共和国」と「ルガンスク人民共和国」を一方的に独立承認することを発表し、これら地域の「平和維持活動」のためロシア軍の派遣を決定した。主権国家内に存在する地域勢力を外部勢力であるロシアが一方的に独立承認することは、ウクライナの主権と一体性を著しく侵害するものである。当然のことながら、ロシアの行為はウクライナの強い反発と欧米及び国際社会からの強い非難を呼び起こした。欧米は今回のウクライナ危機に関連した対露経済制裁強化の第1弾を開始した。このロシアの行動によって、ウクライナ危機は急速に深刻化し、間を置かずに次のさらなる重大局面、すなわちロシアによる軍事侵攻の発生に至った。

同年2月24日、ロシアはウクライナへの本格的軍事侵攻を開始した。当初、侵攻前の時点には、ロシアによる軍事作戦は仮に実施されるにせよ、東部地域などに限定したものになるのではとの見方も多かった。しかし、実際の侵攻作戦は、首都キーウ（キエフ）、第2

の都市ハルキウ（ハリコフ）を始め、ウクライナの主要都市、主要設備・インフラ等に対する大規模で本格的な軍事作戦となった。ロシア側は、大規模な軍事作戦を電撃的に実施することで、早期に首都キーウを始めとしてウクライナを制圧する計画であったのではないかと見られているが、ロシアの侵攻に対して、ウクライナの軍・国民が予想を上回る徹底的な抵抗を続け、激しい戦争状況が続いた。ウクライナの激しい抵抗もあって、ロシア軍はキーウの制圧に失敗、その包囲を解き、撤退するに至った。その後は、ロシアは軍を再配備し、作戦の重点を南部および東部地域におくようになり、そこでの攻勢を強めている。しかし、これら地域でもウクライナ側の激しい抵抗に遭っており、戦争は長期化し、今後の展開は予断を許さない。侵攻開始以降、現時点までウクライナ側の士気は衰えておらず、欧米からの軍事的な支援も強化される中で、今後ロシア軍がどのような軍事作戦・行動に出るのかも注目されている。

他方、ロシアの侵攻開始以降、ウクライナとロシアの間で、トルコなど第3国の仲介によるものも含め、停戦協議が断続的に複数回行われてきた。しかし、「ウクライナの非軍事化、中立化」を求め、ウクライナを自らの影響下に置こうとするロシアと、主権の完全な回復やロシアの即時撤退を求めるウクライナの立場の隔たりは大きく、停戦協議で合意が成立するかどうか不透明である。

ウクライナへの軍事侵攻は、国連安全保障理事会常任理事国であるロシアによるウクライナの主権に対する重大な侵害であり、国際法違反の行為である。また、「力による現状変更の試み」であり、「国際秩序への挑戦」である。この点からも、決して容認されることの無い暴挙であるとして、ウクライナを始め、欧米及び日本を中心とした国際社会はロシアを強く非難し、ロシアに即時停戦とウクライナからの即時撤退を求め続けている。また、軍事侵攻に伴い、ウクライナ市民の犠牲者が増大するにつれ、ロシアへの非難は一層高まっている。特に、2022年4月以降、首都キーウの周辺地域で大量のウクライナ市民の殺害が発覚すると、ロシア軍による虐殺や戦争犯罪の可能性に対する追及も始まり、ロシアを見る国際社会の目は一層厳しくなった。他方、欧米はウクライナへの軍の派兵は、直接は行っておらず、戦争はウクライナとロシアの間で戦われている。しかし、欧米を中心とした国際社会は、ウクライナへの経済支援、難民支援などの協力・支援を行うと共に、徐々に軍事支援も強化し、ロシア軍と直接対峙するウクライナ軍への協力を進めている。

さらに、ウクライナに軍事侵攻したロシアに対して、欧米や日本などは、従来にない厳しい対露経済制裁を実施し、かつ段階的に強化している。経済制裁の内容は、金融取引の制限、国際決済システムからの排除、資産凍結、新規投資の禁止・凍結、技術移転の停止・凍結、貿易制限、特定の個人・主体を対象とした制裁など極めて多岐にわたり、徐々に範囲が拡大し、かつ内容も強化されてきている。その中で、特に注目される制裁分野が、ロシア経済が大きく依存するエネルギー分野に関する制裁である。

ロシア経済の大動脈ともいえる存在がエネルギー分野であり、この分野での制裁にどう切り込むかが対露経済制裁の中でも世界の関心を集めてきた。同分野への制裁実施と強化がロシアに対する重大な圧力になるからである。同時に、ロシアのエネルギーが国際エネルギー市場に占める重要性と、特に欧州のエネルギー供給に占める重要性に鑑みると、この分野での制裁は「諸刃《もろは》の剣《つるぎ》」となり、日本を含め世界全体や、特に欧州にとって制裁実施による「返り血」を覚悟せざるを得なくなる点が重要なポイントなのである。

そのため、例えば、軍事侵攻開始以来、初期の経済制裁分野で注目されたのがロシアの金融機関の国際決済システム(SWIFT)からの排除である。これに関して、エネルギー分野に関わりの深い銀行が除外されるなど、極めて慎重な取り組みが当初は特に目立つことになった。しかし、軍事侵攻に伴うウクライナの被害が深刻化し、特に民間の犠牲者が増加するにつれ、エネルギー分野への制裁実施・強化も実施に移されるようになってきた。

その主要な動きの第1弾は、米国によるロシア産エネルギーの禁輸決定である。3月6日にブリンケン国務長官がその方針に言及し、3月8日に大統領令で禁輸が発表され、即時実施となった。米国による禁輸は、カナダと英国が追随する形になり、この禁輸発表を受けて、市場に「ショック」が走り、原油価格が130ドルを突破するなど、国際エネルギー市場の緊張が一気に高まることとなった。

続く第2弾として注目されたのが、2022年4月7日に主要先進7か国（G7）とEUが発表した、ロシア産石炭の禁輸を含む対露制裁強化の方針である。米国やカナダなどのロシア産エネルギーの禁輸発表は当初は極めて大きなインパクトをもって受け止められたが、現実には米国やカナダはエネルギーの純輸出国であり、かつロシアからのエネルギー輸入はあまりないのが実態である。そのため、禁輸発表といっても実際の効果は限定的ではないかとの見方も広まりつつあった。しかし、G7やEUによるロシア産の石炭禁輸は、実際にロシアの石炭に依存する欧州や日本なども禁輸に加わるという意味において画期的なものとなった。石炭の禁輸にまで踏み込むことになったのは、先述したロシアによるウクライナ市民の大量の殺害が報道され、ロシアに対する国際的な非難の声が一気に高まったためである。そして、この石炭禁輸決定によって、ハードルを一つ越えたことになった。次に制裁が強化されるとすれば、その目標は石油になり、さらにはガスにも向かうのではないか、という見方も広がるようになった。特にガスに対する制裁実施に関してはより困難を伴うため、ハードルがより高いと見られているものの、今後のウクライナを巡る情勢やロシアの対応如何《いかん》によっては、これらの分野に対する制裁実施の可能性も決してゼロではないだろう。

石油については、5月4日、EUはロシア産石油について2022年内に輸入停止する方針を提案した。これに次いで、5月8日には、G7としてロシア産石油の禁輸方針を打ち出し、日本も原則輸入停止の方針を表明した。EUでは、上記提案を受けて、加盟国間で協議が行われ、5月30日に、ロシア依存の高いハンガリーなどの事情をふまえ、パイプライン供給を除外してロシア産石油の禁輸を発表した。実際には欧州でも日本でも、代替石油供給源を確保しながら、段階的に輸入削減していくものと見られる。こうして、欧米日のロシアエネルギー部門への制裁は着実に段階的強化の道のりを歩んでいる。

他方、4月27日にはロシアのガス供給を巡る新たな動きが進展し、世界の注目を集めた。ロシアは、対露経済制裁を強化する欧米日などの国を「非友好国」と位置づけ、ロシアのパイプラインガスに対する代金支払いをルーブルとすることを要求する大統領令を3月31

日に発していた。今回、ロシアのガス会社、ガスプロムは、ポーランドとブルガリアに対して、ガス代金の支払いがルーブルで行われていないという理由でガス供給を停止したのである。両国およびEUはこのロシアのガス供給停止に強く反発し、ガス供給を政治的武器に使うものであるとして非難している。両国に対しては、欧州内でのガス供給の融通や地下備蓄からの供給で対応することとなっているが、今後、ロシア側からのガス供給停止が拡大する可能性もあり、その場合は欧州の、そして世界のガス・LNG市場への重大な影響が懸念される。

こうした状況下、5月10日に、ウクライナのガス輸送システム運営会社、GTSOUが、ロシア軍が支配する東部ルガンスク州にあるガス圧送設備の操業がロシアの妨害によって困難になったため、ロシア産ガスの欧州向け輸送の一部を11日から停止すると発表した。当該設備の停止で、ウクライナ経由でロシアから欧州に輸送されるガスの3分の1程度が影響を受けるとの見方もあり、欧州のガス価格はこのニュースに反応して一時は2割程度上昇を示した。

さらに、5月12日、ロシアのガスプロムが、ポーランド経由でロシアのガスを欧州・ドイツに輸送する「ヤマル欧州パイプライン」経由でのガス輸出を停止することを発表した。

前日にロシア政府が発表した制裁対象に、当該パイプラインの所有に参画するポーランド企業が含まれていたため、ロシアのパイプラインガス輸出を担当するガスプロムが輸出を停止したのである。また、5月21日には、北大西洋条約機構（NATO）加盟申請を発表したフィンランド向けのロシアのガス輸送の停止が発表された。さらに6月14日、ロシアは欧州向けの主力輸出ルートの一つ、「ノルドストリーム1」パイプラインでの供給量を、設備メンテナンス上の理由を基に、大幅に削減しはじめた。同パイプラインのガス供給はその後さらに低下し、7月11日には停止した。ロシア側は設備定期点検のための10日間の停止と説明しているが、欧州側での供給不安がさらに大きく高まることになった。これまでは、どちらかと言えば、欧米日側が主導的にロシアのエネルギー取引に制約を掛けるべく、イニシアティブをとってきたが、上記の動きを見ると、ついにロシアが欧州向けのガス輸出に自ら影響を及ぼして、揺さぶりをかけ始めているように見える。欧州とロシアのエネルギー関係において、最も深刻な問題はガスの貿易依存である。脱ロシア依存を速やかに行うことが最も困難なのがガスであり、欧州にとっても脆弱性が高い分野である。今後、ロシア側からの供給停止に関わる動きがさらに拡大するのか、長期化するのか、あるいはインフラの運営に問題がさらに生じないか、などの状況次第で、欧州の、そして世界のエネルギー市場の安定が大きく脅かされる可能性がある。今後の展開が要注目である。

ロシアの動きとしてさらに注目されるのが、サハリン2を巡る動きである。2022年6月30日、ロシア政府は、ロシア・ガスプロム、英蘭・シェル、三井物産、三菱商事がパートナーとして権益を持ち、ロシア極東での石油・ガス開発とLNG事業を実施しているサハリン2プロジェクトの運営を、新しく設立する事業主体に移管するとした大統領令を発表した。

シェルは既に本年2月末にサハリン2からの撤退方針を発表していたが、日本の2社はサハリン2プロジェクトの日本のエネルギー安全保障にとっての重要性などを踏まえ、事業継続方針を表明していた。今回のロシア政府の方針は、事実上の「接収」とも見られるものであり、参加2社にとって、また日本にとって極めて重大な影響を及ぼしかねないものである。

これは、G7及び西側の一員として対露経済制裁に参加する日本に対する揺さぶりと考えられている。折しもサハリン2に対するこのロシアの動きは、猛暑の下で東京を中心に電力需給の逼迫《ひっぱく》が深刻化し、エネルギー安定供給確保が喫緊の重大課題となっているタイミングを見透かすかのようなものであった。新事業主体への移管がどうなるのか、日本企業の参画がどうなるのか、現時点では不明であるが、日本の石油・ガス自主開発と権益確保というエネルギー安全保障政策の要の一つにとって、重大な影響を及ぼす恐れがある状況である。

また、権益問題とは別に、同プロジェクトからのLNG輸入確保の問題もある。同プロジェクトからは日本の電力・ガス会社が合計で約600万トンのLNGを基本的に長期契約ベースで輸入しており、日本のLNG輸入の約9％に相当している。新たな事業主体に移管されることになっても、LNG輸入契約そのものについては特段問題なく継続されると考えるのが普通であるが、この点でも今後のロシアの動きを注視していく必要がある。7月に入って、ロシアがLNGについても、パイプラインガスと同様に支払いをルーブル建てにすることを要求するのではないか、との見方が示された。この点もまだ先行きは全く不透明だが、要注意である。万が一、サハリン2からのLNG供給に支障が出るような場合、日本にとって、そしてこれを輸入する個別企業にとって、輸入コストの大幅増加や供給不足の可能性が懸念されることになる。本年の冬場は日本において、さらにより深刻な電力需給逼迫が懸念されるところ、燃料調達の面でも安定供給確保が重要視されること必至である。今後、ロシアの動向を注視し、対応戦略を準備していく必要がある。

最後に、対露エネルギー制裁を巡ってもう一つの論点とそれに関連した新しい展開について述べることとしたい。もともと、西側によるエネルギー分野への制裁は、ロシア経済に打撃を与えることがその主目的であった。特に、エネルギー輸出収入がロシア経済に占めるウエイトが大きいため、そこに打撃を与えることが重要であった。エネルギー輸出収入で最も重要な石油に対する禁輸については、G7とEUが禁輸で足並みを揃えることになったが、現時点で分析すると、G7やEUの石油禁輸が実施されても、ロシアの本年の石油輸出収入は減少せず、むしろ増加する可能性が指摘されている。

その原因は、第1に、原油価格が大幅に上昇しているためである。第2に、輸出量に関しては、禁輸に参加するEUなども現時点までは輸入を継続しており、今後年末にかけて削減を進めるものの、年間を通してみれば一定の輸入を行うことになる。さらに、禁輸に参加しない中国やインドなどが、割引価格でのロシア石油の輸入を拡大しており、EUなどの輸入減少をある程度相殺することになるからである。中国やインドの輸入は割引価格とはいえ、市場価格が大幅に高騰していることから、危機前の価格水準との比較ではそれほど安くなるわけではない。他方、EUなど禁輸参加国の輸入は一定程度減少しても、その輸入価格は大きく高騰しているため、結果としてロシアの収入はそれほど低下しない。

そのため、ロシアへの打撃は、輸出収入という面ではほとんど効いていないという実態がある。

そこで、6月26～28日に、ドイツ・エルマウで開催されたG7サミットでは、ロシアの石油取引に価格上限を設定して、ロシアの収入を削減することが議論され、共同声明に盛り込まれた。国際市場で取引されるロシア産石油への価格上限設定には、技術的に様々な課題があり、容易ではないが、今後その検討が進められることになる。上限価格をどの水準で設定するかも難しいが、50ドル前後での設定に関する案なども報道ベースでは現れている。しかし、価格上限制度の実施に対して、ロシアがどのような反応を示すのかは不透明である。仮にロシアが同制度に反発して自ら石油供給を削減するような動きを示せば、国際石油市場は一気に不安定化し、原油価格が大幅に高騰する可能性もある。先行き要注意である。

2 ウクライナ危機で不安定化する国際エネルギー市場

前章で論述した通り、国際エネルギー市場は、ウクライナ危機が本格的に深刻化する前から需給逼迫で価格高騰と不安定化が進行していた。しかし、2021年終盤にかけての

図2-1　2021年以降の原油価格とガス価格の推移

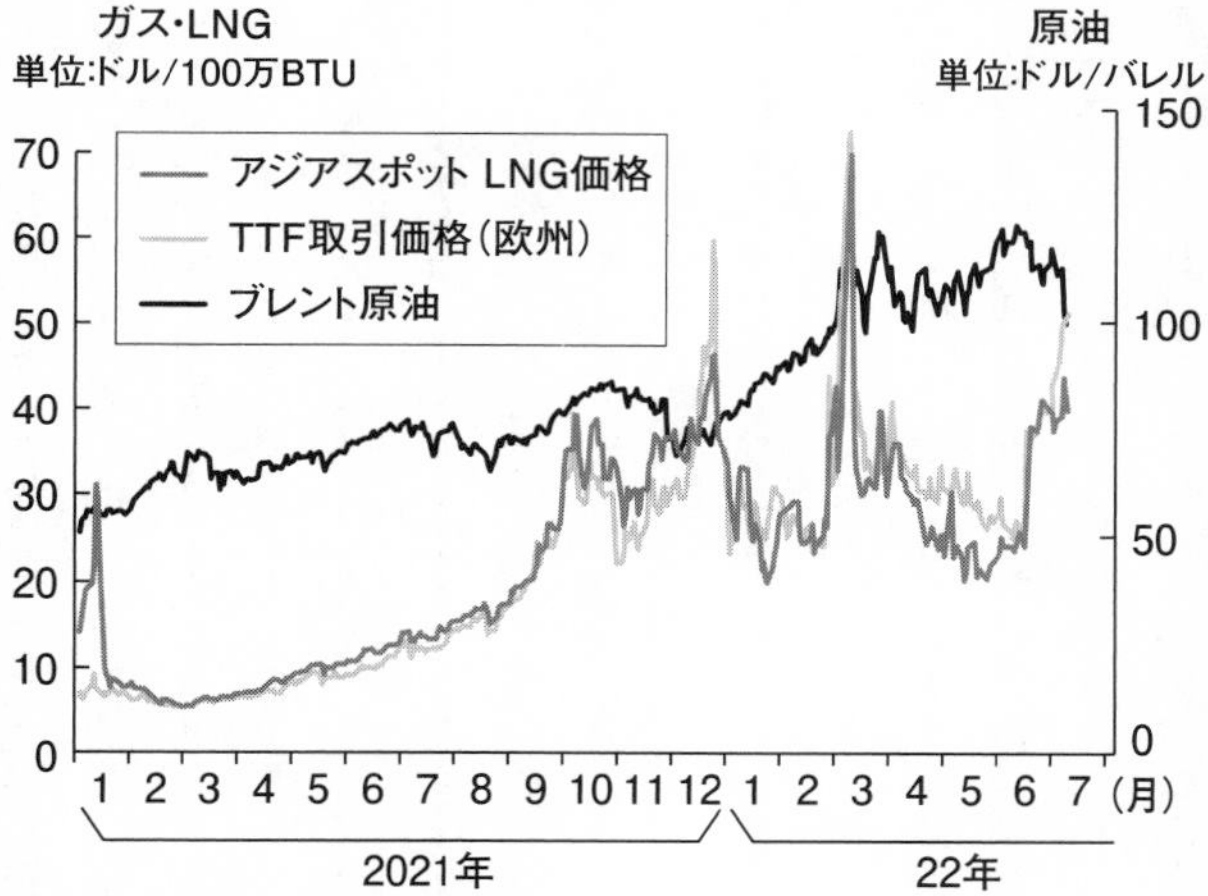

(出所)各種資料より筆者作成

ロシア軍のウクライナ国境集結による軍事的圧力の高まりで侵攻の可能性が強く意識されるようになるとエネルギー市場は一気に不安定化し、価格高騰に向かった。原油価格は100ドルを超え、欧州のガス価格は100万BTU当たり50ドル台という当時では史上最高値を記録するなどの展開となった。そして、2022年2月24日にロシアがウクライナに軍事侵攻し、これに対抗して欧米日などの対露経済制裁が実施・強化されるようになると、エネルギー市場の不安定化はさらに加速することになった（図2-1）。

ロシアによる軍事侵攻と対露経済制裁の実施・強化という流れの中で、国際エネルギー市場において重要な位置を占めるロシアのエネルギー輸出の将来が一気に不透明になり、その供給についての不安感が急速に高まったからである。前述した通り、2020年時点において、ロシアからの輸出が占める世界シェアは、石油が11%、ガスが25%、石炭が18%と極めて高い。とりわけ世界最大のシェアを占めるガスにおいては、国際市場全体に余剰供給能力が存在していない（全ての供給国・者が基本的に生産能力の上限での操業を実施している）ことから、この重要なロシアの輸出に何らかの支障が発生した場合、国際市場全体の需給が一気に逼迫し価格が高騰する、との懸念が世界を駆け巡ることになった。

ロシアによる軍事侵攻が継続し、激しい攻勢が続く中、3月6日に米国ブリンケン国務長官が、米国がロシア産のエネルギー（原油、石油製品、LNG、石炭など）の禁輸を検討していると発言したことにエネルギー市場が反応し、エネルギー価格は一気に急騰した。3月7日には、原油価格は130ドルを瞬間的に突破し、リーマンショック後の最高値を記録した。先に触れたように、需給逼迫懸念がより強い欧州ガス市場では、より劇的な価格上昇が発生、100万BTU当たり70ドルを突破した。これは熱量ベースで原油換算すると1バレル400ドルを超える未曽有の高価格である。欧州のガス価格と連動性を強めるアジアのスポットLNG価格もほぼ同様の超高価格を記録した。また、石炭価格も同様の動きを示し、発電用の一般炭スポット価格はトン当たり400ドル超と、史上最高値を更新した。まさに、ロシアのエネルギー輸出がどうなるかについての不安感が国際エネルギー市場を根底から揺さぶったのである。

この3月7日に記録した価格急騰と著しい高価格水準は比較的短期間で終息し、価格は低下に向かった。市場の最初の反応として、ロシアのエネルギー供給への不安感が、米国による禁輸方針（実際の禁輸決定は3月8日の大統領令による）とそれに追随したカナダや英国による禁輸方針によって、一気に価格上昇をもたらしたのであるが、市場が冷静さを取り戻し、米国やカナダが実際にはロシア産のエネルギーをそれほど輸入していないこと、両国ともにエネルギーの純輸出国であること、だからこそロシア産エネルギーの禁輸に踏み切れたこと、ロシアに依存している欧州諸国などはその禁輸措置には参加していないこと、を理解・吸収したことから、一時的な著しい急騰が終息したのである。

その後は、中国におけるコロナ感染拡大と上海での都市封鎖の実施や、IEAなどによる石油備蓄放出の決定を受けて価格水準が原油価格で見れば100ドル前後まで落ち着くことになった。もちろん、落ち着いたとはいえ、原油価格100ドルは十分に高価格であり、市民生活や経済活動にとっては大きな負担や問題となる価格水準と言える。欧州のガス価格もピーク時からは低下し、100万BTU当たり30ドル前後を中心とした推移になったが、これも原油換算では200ドル近い高価格であり、欧州経済にとっては重大な問題である。

その後もウクライナ危機の展開に合わせて、国際エネルギー市場は不安定な動きが続いている。ウクライナ軍の抵抗でロシアが首都キーウの包囲を解いて撤退した後、首都近郊では多数のウクライナ市民の殺害が発覚し、ロシアに対する非難が一気に強まった。「虐殺」や「戦争犯罪」の可能性を問う見方も強まり、国際社会のロシアを見る目は一気に厳しくなった。この状況を受けて、4月7日には、先進7か国（G7）とEUがロシア産の石炭の禁輸を含む対露経済制裁強化を決定し、ついに、G7とEU全体でのロシア産エネルギーへの禁輸に舵を切った。それだけ、上述した市民殺害に対するロシアを非難する国際世論の高まりの影響が大きかったと言える。石炭禁輸の実施で、欧州や日本などロシア産の石炭を輸入していた国々がロシア以外の代替供給源確保に動き出したこともあり、発電用の一般炭のスポット価格がトン当たり400ドル前後にまで著しく上昇することになった。そして、石炭に関する禁輸に合意したことを受け、さらに禁輸の範囲を拡大していくのではないか、という見方も広がるようになり、ロシアのエネルギー輸出に対する不安感が大きく拡大するに至っている。

こうした状況下、5月4日にEUがロシア産の石油について、2022年内での輸入停止の方針を提案した。さらに、このEUの動きを受けて、5月8日にはG7首脳のオンライン会議が開催され、対露経済制裁強化の一環で、G7としてのロシア産石油の禁輸方針が発表された。これで日本もロシア産石油について「原則輸入禁止」という方針でG7一体の取り組みを行うこととなった。さらに5月30日には、パイプライン供給を除外したものの、EUとしてロシア産石油の禁輸に合意したことが発表された。この禁輸決定を受けて、原油価格は上昇し、6月前半は120ドル前後の推移となった。その後、世界経済減速への懸念が強まり、石油需要鈍化の予想から原油価格は下押しされ、7月上旬は一時100ドル前後まで低下するなど不安定な動きを示した。

そもそも、軍事侵攻とそれに対抗する対露経済制裁の実施・強化が続く中で、ロシアのエネルギー供給が大幅に低下あるいは支障が発生する原因として、様々な可能性が指摘されている。それを大別すると、

①欧米日等による対露経済制裁によって、ロシアのエネルギー取引に制約発生
②戦争が続く中、主要なエネルギー供給インフラに損傷発生あるいは操業困難化
③ロシアが欧米等に対する対抗措置としてエネルギー輸出を低下・停止

の3つの可能性が考えられてきた。①については、ここまでの展開については、米加英などによるロシア産エネルギーの禁輸やG7・EUによるロシアの石炭禁輸、EUおよびG7によるロシア産石油の禁輸などが当てはまる。②については、ロシア軍によるウクライナの原子力発電所を含む主要なエネルギー施設（その他では製油所など）等への攻撃や占拠などが該当するといって良い。さらにウクライナのガス輸送企業がロシアの妨害のため輸送を停止した事象もこれに当てはまる。③については、4月27日にロシアがポーランドとブルガリアへのガス供給を停止したことで、この可能性も一気にクローズアップされることとなった。3月31日にロシアが、「非友好国」に対してガス代金のルーブル建て支払いを要求する大統領令を発していたが、今回、ポーランドとブルガリアに対しては、ルーブル支払いがないことを根拠にロシアがガス供給を停止したものである。さらに、ロシアによる「ヤマル欧州パイプライン」でのポーランド経由の欧州・ドイツ向けガス供給の停止

やフィンランド向けガス輸送停止や「ノルドストリーム1」パイプラインの供給削減もこれに該当すると考えられる。こうしたガス供給停止が今後どうなるかによって、欧州のガス供給に大きな影響が出ることも考えられ、その結果、ガス価格に大幅な上昇圧力が発生、一気に市場不安定化に向かう可能性も懸念されるところである。実際「ノルドストリーム1」パイプラインのガス供給が大幅に低下したことで、欧州では今冬のガス不足の可能性が懸念されるようになり、ガス価格が7月には急騰し、100万BTU当たり50ドルを上回った。先行きに要注意である。

3　対露エネルギー制裁を巡る主要国の一体化維持を巡る課題

ロシアの軍事侵攻という許されざる暴挙に対して、欧米日を中心とした国際社会は、特に軍事侵攻開始以降、対露経済制裁を次々に強化してきた。その中でも、やはり最も重要で、その動向が注目されてきたのがエネルギー分野に関する制裁である。石油・ガス・石炭等による輸出や当該事業からの税収がロシア経済・財政・GDPに占めるシェアは極めて高く、まさにエネルギー分野はロシア経済の大動脈である。従って、ロシア経済に打撃を与え、戦争遂行を困難にするためにはエネルギー分野に対する厳しい制裁を実施し、この分野からの収入を大きく低下させることが重要なのは当初から明らかであった。

ところが問題なのは、エネルギーがロシア経済にとって極めて重要なのと裏腹に、ロシアのエネルギーが国際エネルギー市場にとって、中でも欧州にとって、極めて重要である、という「不都合な真実」であった。前述の通り、ロシアの輸出が占める世界シェアは、2020年時点で石油11％（世界3位）、ガス25％（世界1位）、石炭18％（世界3位）と、極めて重要なポジションを持つ。特にガスについては、他を圧倒的に引き離すシェアを有する巨大ガス輸出国であり、その多くが欧州向けとなっている。ロシアのエネルギー輸出は、石炭などはアジア向けが中心であるが基本的には、歴史的関係・経済・ビジネス上の関係・インフラ整備の状況等から、欧州向けが最も重要であり、欧州とロシアはエネルギー貿易で密接に結びつき、深い相互依存関係を構築していた。

2020年時点での欧州（東欧・トルコ等を含む）全体での石油・天然ガス／LNGの地域別輸入相手先を見ると、石油・ガス共にロシアが最大の輸入相手先であり、そのシェアは石油が33％、ガスについては57％に及んでいる（図2-2）。欧州のエネルギー需給構造とそれを支えるインフラ形成という面において、ロシアのエネルギーがしっかりと組み込まれ、欧州にとっては抜き差しのならない依存構造になっていることが明らかである。

図2-2　欧州の石油・天然ガス/LNGの地域別輸入相手先(2020年)

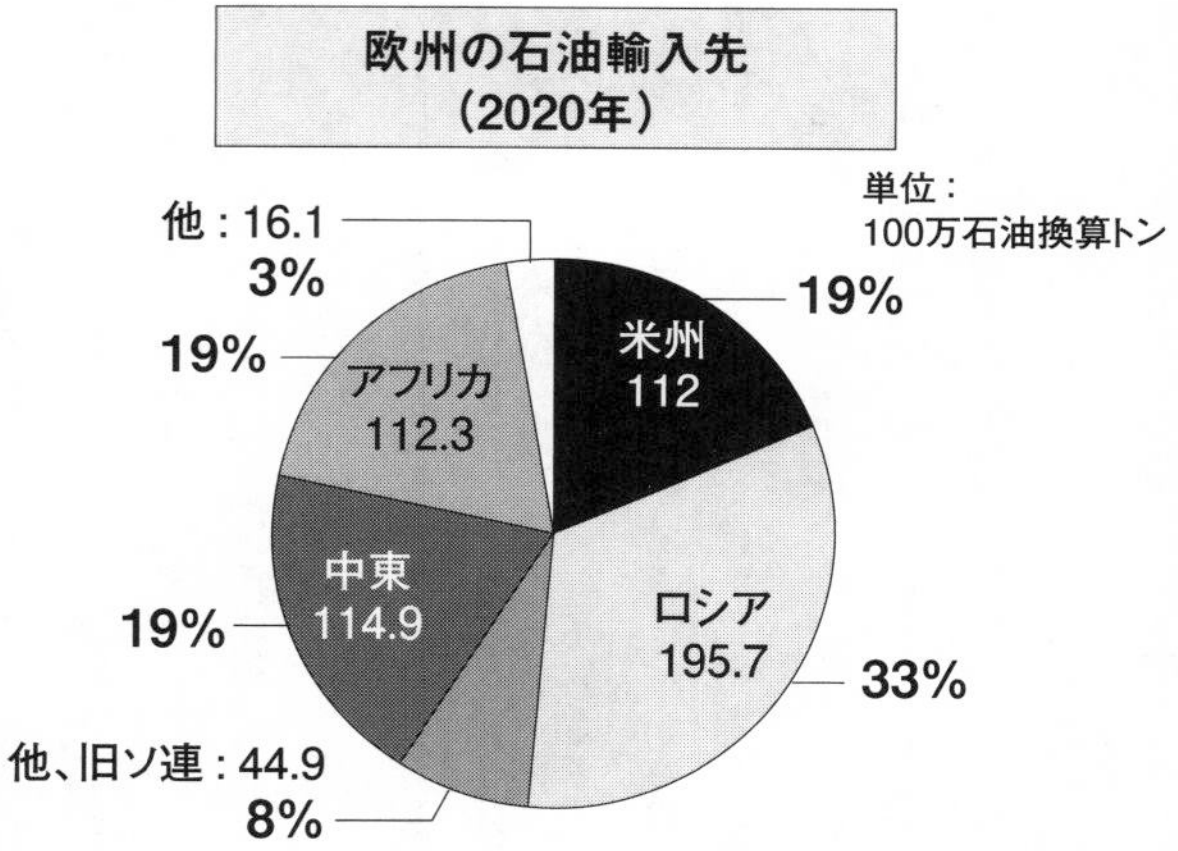

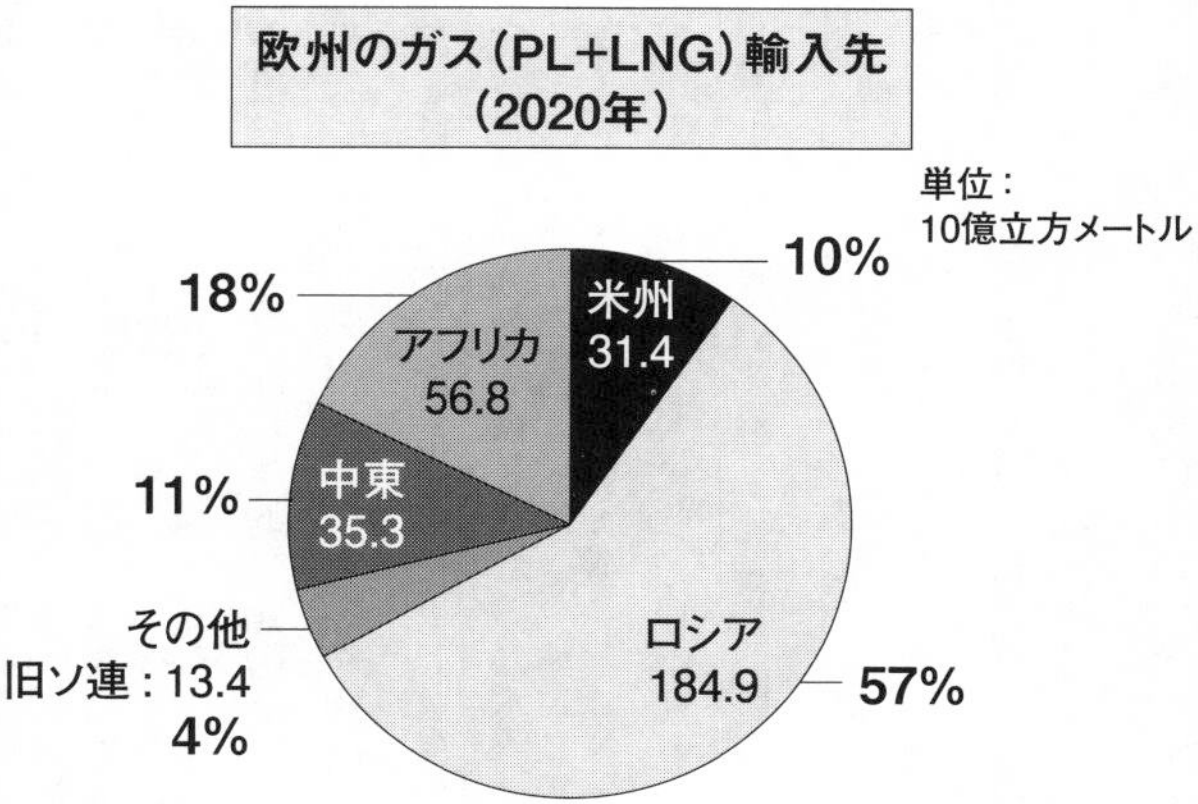

(出所)BP統計2021年版より筆者作成

なぜ、このような依存構造になったのかといえば、最も基本的な理由は、それだけロシア産のエネルギーの供給が欧州にとっては経済性に優れ、競争力を有しているからである、ということになる。エネルギーは欧州にとってだけでなく、どの国・地域においても必要不可欠な物資で、その安定供給は重要である。安定供給には価格面と量的な面の2つの側面があるが、まず前者については、ロシアのエネルギー源は上流開発のコストや欧州への輸送コストなどを総合的に勘案して、十分な競争力を持つものであり、結果として価格面での競争力・魅力を有するものであった。後者については、例えばロシアからの本格的なガスパイプラインの建設が始まった1980年代から、ロシア（当時はソ連）にエネルギーを依存することはリスクがあるとの反対意見が、同盟国である米国から寄せられてきたが、欧州（とりわけドイツ等）の立場は、むしろ、相互依存関係を深めることでリスクを回避し、ソ連（ロシア）との関係改善や良好化を期待できる、というものであった。実際、1980年代以降の期間、長きにわたってソ連（ロシア）からのエネルギー供給は欧州に流れ続け、ある意味で、ロシアは「信頼できる供給者」という地位を欧州において築いてきたということもできる。

しかし、特にエネルギー需給が逼迫し、価格が大きく高騰する市場においては、エネルギーを巡る相互依存関係において、どうしても供給者側の立場が強くなるのは自然である。2021年後半以降の市場展開においては、「ドライバーズ・シート（運転席）」に座って、事態を主導的にコントロールする立場にあったのはやはりロシアの方であったと見ることができる。ロシアのエネルギー供給の重要性が欧州に対する「レバレッジ」として影響力を有したと考えられるのである。さらに穿《うが》った見方をすれば、ロシアの、あるいはプーチン大統領の戦略判断において、エネルギーをレバレッジとして、あるいは「政治的武器」として最も効果的に使うには、2021年後半以降の国際エネルギー市場の状況を最大限活用することが重要という考えが存在した可能性もありうるだろう。

また、さらに問題が複雑になるのは、欧州全体としてロシア依存度が高いということに加え、ロシア依存度の多寡は欧州の中でも国によって差異があり、また、欧州以外で先進国全体でも様々な差異がある、ということである。この差異は、ロシア依存度だけに限られず、エネルギー自給率の多寡、すなわちエネルギー輸入にどれだけ依存しているか、その輸入に何か不測の問題がある場合の脆弱性《ぜいじゃくせい》の度合いにも大きな差異が存在するという点が重要である。図2－3及び図2－4に各々、2020年時点での主要国のエネルギー輸入におけるロシア依存度とエネルギー自給率を示す。ロシア依存度については、特にドイツ、イタリア、フランスなど大陸欧州諸国でのロシア依存度が高い。一方、米国やカナダなどは基本的にロシアからのエネルギー輸入はほとんど無い。英国のロシア依存は、総じて大陸欧州諸国ほどは高くなく、日本の依存度も、石油4％、ガス9％、石炭11％と、ドイツ・イタリアよりはかなり低い。

しかし、この状況をエネルギー自給率の状況と組み合わせると、またかなり違った様相も見えてくる。日本の場合は、図２－４にある通り、自給率が極端に低く、大量のエネルギー輸入に依存している中で、その一定割合をロシアに依存する形である。英国は自給率が75％とかなり高く、その状況下でロシア依存度はそれほど高くない。また、米国とカナダは自給率が１００％を超える、エネルギー純輸出国である。こうした状況だからこそ、米国はいち早くロシア産のエネルギー禁輸を打ち出すことが可能であった。それに追随したカナダや英国も同様のポジションである。他方、ドイツやイタリアは自給率が低い上に、ロシア依存度が非常に高い。その意味で、ロシア産エネルギーの供給支障や途絶には極めて脆弱なエネルギー需給構造であるといって良い。日本の場合は自給率が著しく低いことが脆弱性の中心になっている。

このようにエネルギー需給構造上の脆弱性に、各国で差異がある場合、足並みを揃えて

図2-3　主要国のロシア産エネルギーへの輸入依存度（2020年）

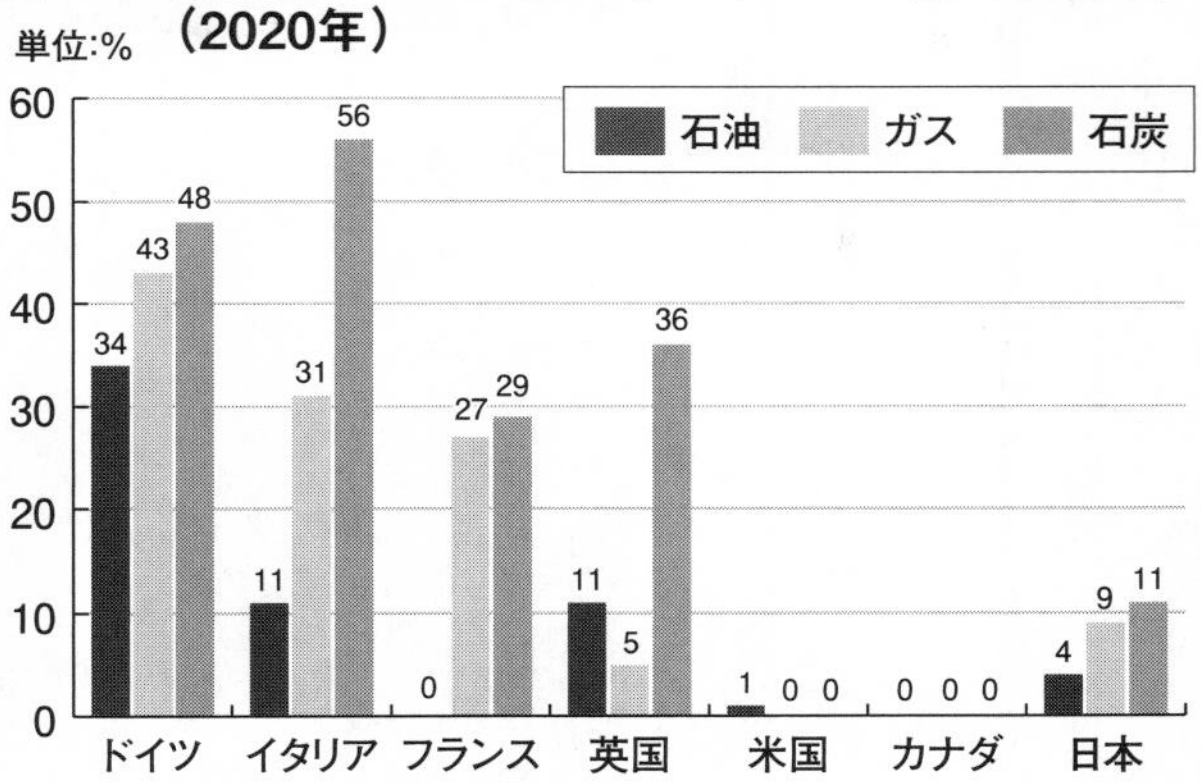

（出所）BP統計2021年版より筆者作成

図2-4　主要国のエネルギー自給率（2020年）

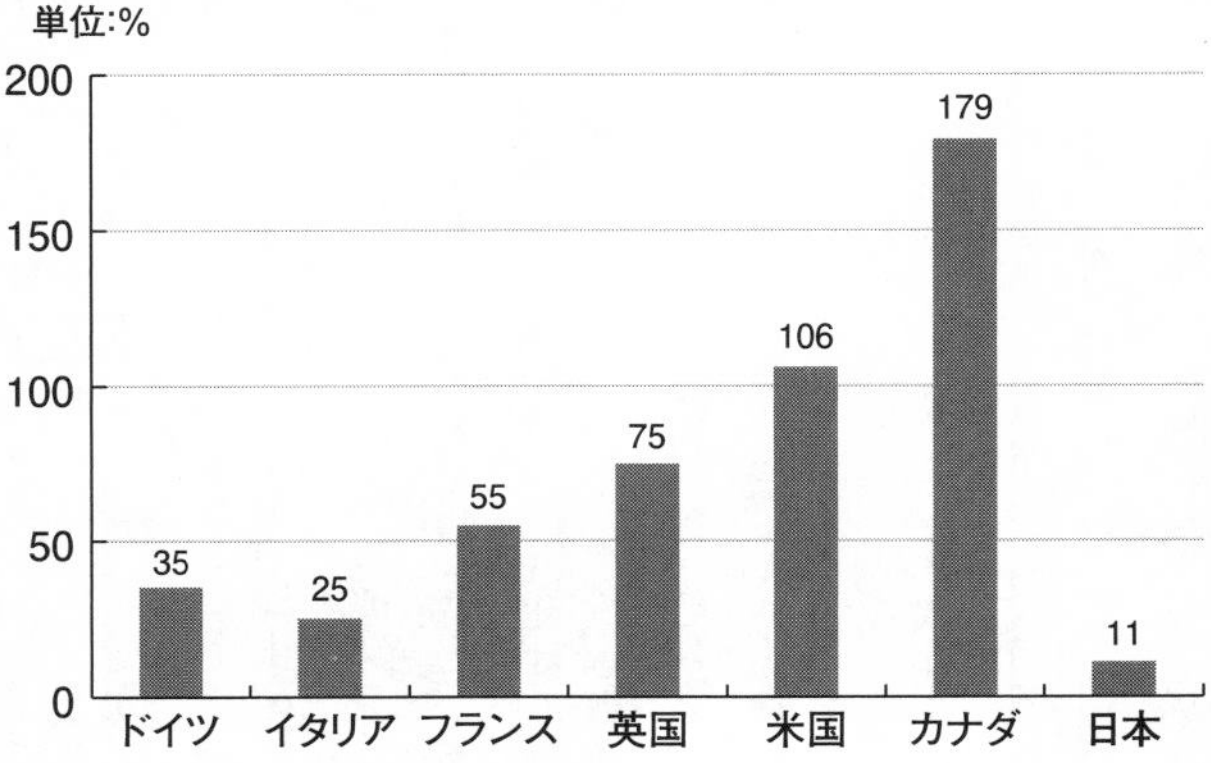

（出所）BP統計2021年版より筆者作成

エネルギー分野への制裁に切り込むことが難しくなる。制裁を科して、ロシアを苦境に追い込もうとした時、自らが浴びる可能性のある「返り血」の度合い、すなわちエネルギー面における自らの被害・悪影響が異なるからである。

ここで注目しなければならないのは、米国やカナダのようなエネルギーの輸出国でも「返り血」を回避することはできないというポイントである。例えば、ロシアの石油部門に制裁を科し、禁輸を行うといった場合、市場がそれに反応して、原油価格が高騰すれば、輸入国であれ、自給自足の国であれ、輸出国であれ、同じ高騰した原油価格に直面することになる。米国の場合、原油価格高騰はガソリン価格高騰に直結し、市民生活・家計・企業経営を圧迫し、政治問題となる。バイデン政権が2021年10月以降、やっきになって原油価格を抑制しようとしているのはガソリン高騰を抑えないと自らの支持率低下をさらに悪化させることになるからである。

このように、米国・カナダでも「返り血」は浴びざるを得ない。しかし、重要な点は、自給自足あるいは輸出国で、ロシア依存がない国は、万が一のロシアの供給途絶が発生した場合、基本的にはエネルギーの物理的供給不足（エネルギーが手に入らないこと）に直面する恐れがほとんど無いことである。ところが逆に、ロシア依存の高い国は、ロシアからのエネルギーに供給支障が発生すれば、物理的供給不足に直面する恐れがすぐさま発生する。何もせず手を拱《こまね》いていれば、エネルギーが手に入らず、市民生活・経済はまさに大打撃を被る。これを回避するためには必死で、どこからか追加供給を確保せざるを得なくなり、場合によってはいかなる高価格でも支払わなければならない状況に陥る。まさに物理的不足の問題がエネルギー安全保障に関する最も深刻なリスクであるため、ロシア依存度の多寡が脆弱性の度合いを左右してしまうことになる。そしてそれが、ロシアに対しての一体的な、一枚岩の対応を難しくする要素となるのである。

戦略的な観点からは、ロシアもこの問題を十分に理解し、むしろこの点を活用して、欧州に、あるいは各国に揺さぶりをかけることになる。一体的な取り組みが難しくなるよう、分断化を図ることが、ロシアにとっては重要な戦略となる。逆に、欧州にとって、あるいは欧米日などの国際社会にとっては、これらのエネルギー需給構造における脆弱性の差異を踏まえながら、如何《いか》に一体性を保ち、協力関係を強化していくかが重要な戦略問題となるのである。

4　ウクライナ危機と第1次石油危機の類似・共通点とその意味

ウクライナ危機によって、国際エネルギー市場の不安定化が一気に加速化し、エネルギー価格の高騰と供給途絶による影響に世界は身構えることになった。また、そのため、国際エネルギー秩序が動揺し、エネルギー情勢が世界を大きく揺り動かす重要な問題として国際社会の重大関心事となった。また、その状況下、欧州を中心に世界全体でエネルギー安全保障を強化するための取り組みが喫緊の重要政策課題として浮上することになった。

実はこの流れを俯瞰《ふかん》して見ると、筆者にはウクライナ危機における国際エネルギー情勢には、今からほぼ半世紀前に発生した第1次石油危機と類似した、あるいは共通した点・構造があるように思われて仕方がない。半世紀余りの時間を隔てたこの2つの事象の類似性・共通点について考察することは、単なる学問的な興味だけでなく、ウクライナ危機を巡る今後の問題を考える上で有意義ではないかと思われる。そこで以下では、その類似性・共通点と要因・構造について考察を行い、さらにそこから得られるインプリケーションを論じてみたい。

第1の類似性・共通点は、この2つの危機において、発生している重要事象の組み合わせにおいて共通点が存在するということである。すなわち、2つの危機共に、「戦争」と「禁輸・制裁」という事象が発生し、危機の内容及びその進展に重要な役割を果たした、ということである。ウクライナ危機については、既にこれまで十分な紙幅を使って、「戦争」および「禁輸・制裁」の内容について説明してきたのでここでは略す。では、第1次石油危機ではどうだったのか。

第1次石油危機発生の切っ掛けとなったのは、エジプト・シリア等によるイスラエルへの奇襲作戦から始まった第4次中東戦争（Yom Kippur War）であった。奇襲作戦の当初は押し込まれたイスラエルがアラブ側に反撃し、攻勢を強めたのに対抗するため、アラブ産油国が実施したのが「アラブ禁輸」（Arab oil embargo）であった。この禁輸は、イスラエルを支援する西側先進国に対して石油を「武器」として使い、イスラエル支援を弱体化させ、主要先進国間の連携を弱め、その力を削《そ》ぐことを目的として実施されたものである。

アラブ禁輸の実態は、主要先進国（主要石油消費国でもあった）を、「友好国」「敵対国」「中立国」に3分し、「友好国」に従来通りの石油供給を約束する一方、「敵対国」には石油供給を停止し、「中立国」には、毎月、石油供給量を5%ずつ削減するとの方針を突きつけたものであった。イスラエルを直接的に軍事支援していた米国は「敵対国」と位置づけられた一方、日本はアラブ・イスラエル問題には直接の関与が無かったこともあって、「友好国」に位置づけられるのではないか、と日本は期待していた。しかし、その期待に反して日本は「中立国」とされ、毎月5％の供給削減に直面することとなった。アラブ側からは、「友好国」となるための条件として、従来からの親イスラエル的な外交姿勢を撤回し、見直すことを国際的に表明するよう求められるに至った。もちろん、こうしたアラブ側の「切り崩し」戦略に対して、米国はそれに従わないよう強く要請したが、石油供給不足の恐怖に晒《さら》された日本は、1973年11月に二階堂官房長官（当時）が談話を発表、中東政策を見直すことを明言した。これをもって、日本は「友好国」に位置づけられ、毎月5％の供給削減から逃れることができた。しかし、これは日本にとって外交・意思決定の自由を失ったことに他ならず、また、同様にアラブ禁輸の圧力に屈した他の欧州諸国なども含め、先進国間の協力体制は石油市場が危機に陥る中、瓦解することとなった。

第2と第3の類似性・共通点は、危機そのものではなく、2つの危機を深刻化させた全体的な構図・構造に関わる問題であった。第2の点は、2つの危機共に、危機が深刻化する前から、国際エネルギー市場の需給が逼迫しており、エネルギー価格が高騰する状況下にあったことである。ウクライナ危機の場合については、2021年後半以降の同時多発的なエネルギー価格高騰の状況を説明してきた。第1次石油危機については、やはり、危機発生の1973年10月よりはるか前から、1970年代初頭以来、国際石油需給の逼迫で原油価格の上昇が顕著になっていた点を指摘したい。国際エネルギー市場での価格高騰と需給逼迫で、産油国・供給国・資源国の立場がより強化される方向にあった点が、この2つの危機で共通しているのである。

そして、第3の類似性・共通点は、2つの危機共に、主要な消費国において、輸入依存と特定供給源への依存が顕著な形で構造化していたことである。前述の通り、ウクライナ危機では、特に欧州におけるロシア依存度の高さが問題となった。そしてもちろん第1次石油危機の場合は、先進国全体が中東石油に対して大きく依存する状況に陥っていたのである。この、特定供給源に対する依存度の高まりの原因そのものにも共通の理由がある。すなわち、その当該供給源の経済性が優れ、供給源としての競争力・魅力が高いため、通常時の市場において自然体で選択が進めば、依存度が高くなることが当然の流れであったということである。

「戦争」と「禁輸・制裁」の組み合わせ、背景要因としての国際エネルギー需給逼迫と価格高騰、そして特定供給源への高い依存状況の存在、この3つの類似性・共通点から発生した、2つの危機における重要な共通した帰結が、エネルギーの物理的供給不足についての強い懸念の発生であった。第1次石油危機において、前述の通り日本が米国の反対を押し切ってまで中東政策の見直しを発表したのは、それをしなければ、日本は物理的な石油不足に直面するという恐怖に突き動かされたからである。ウクライナ危機では、高いロシア依存状況にある欧州諸国を中心に、もしロシアの供給に大規模支障・途絶が発生すれば、とりわけガスにおいてそれが発生すれば、深刻なエネルギー不足が発生するという強い懸念が存在している。それを回避するためにはあらゆる手段を講じなければならないという意思を今のEUあるいはEU各国の取り組みから感じることができるのである。

まさに、2つの危機共に、深刻な物理的不足の懸念に直面したからこそ、強力なエネルギー安全保障政策が展開されるようになったことも共通している。エネルギー安全保障問題において、最も重大な問題は物理的不足であり、それが現実化しそうな状況になった時、強力なエネルギー安全保障政策が実施されていくことになる。第1次石油危機後、先進国は脱石油政策・脱中東政策を本格的に実施しはじめた。これが、「石油の世紀」を転換していくターニングポイントになったのである。1973年に世界のエネルギー市場における石油のシェアは49%でピークとなり、以降はそのシェアは低下を続けることになった。

今でも石油は最大のシェアを有する重要なエネルギー源であるが、そのシェアのピークから低減をもたらした最大の影響要因が第1次石油危機とそれを契機にした先進国のエネルギー安全保障政策の強力な推進であった。今回、ウクライナ危機で欧州を中心に遂行されていくことになる新たな強力なエネルギー安全保障政策も、次のエネルギー転換を促進していく重要な要素になるかもしれない。

5 ウクライナ危機で一気に浮上したエネルギー地政学の課題

序章において整理した通り、地政学は、学問分野としては「国家を取り巻く地理的な諸条件(国土、位置、人口、民族、資源など)が国家間の競争やパワーを巡る関係(国際関係)に及ぼす影響に関する分析・研究」であり、現実・実体論としては「国家を取り巻く地理的な諸条件が国家間の競争やパワーを巡る関係に及ぼす影響とその状況・実態」と定義できる。

また、国家は、国益の追求とその最大のため、国土・人口・資源・技術・政治力・軍事力・経済力などから構成される「パワー」を活用するが、こうした特性を持つ国家間の関係や相互作用、そこから生まれる対立・協調などの構造を捉えようとしたものが地政学であるともいえる。

その点においてロシアによるウクライナ侵攻と、それがもたらしつつある極めて重大な国際問題そのものが地政学の問題として捉えることができる。そしてこの地政学的な重大問題が国際エネルギー情勢を激震させてきたわけであり、同時に国際エネルギー情勢が世界を揺るがし地政学に影響してきたことになる。その点において、ウクライナ危機はエネルギー問題と国際情勢の相互関係を示す「エネルギー地政学」上の今世紀最大の重大事件と整理することができるだろう。

ウクライナ危機を「エネルギー地政学」の観点で見る場合にも、その視座は多様なものとなりうる。以下ではその中でどのような視座があるのか、それを項目的に整理し、紹介することとしたい。

第1には、今回の戦争の舞台となっているウクライナと、それを挟んで厳しい対立関係にあり、同時にエネルギー貿易で相互依存関係を有してきた、ロシアと欧州の問題がある。なお、この問題（および本節における以下の視座の紹介）については、第6章あるいは第7章で詳述するため、ここでは、内容にまでは立ち入らない。あくまで「視座」の紹介に留める。

第2には、やはり今回のウクライナ危機において、ロシア・ウクライナ・欧州と共に、安全保障面でも、そしてエネルギー面でも主役の役割を果たしている米国に関わる地政学問題がある。特に米国とロシアの対峙という問題もあれば、米国によるウクライナ支援、そして米国と欧州の協力という視点もある。ロシアがエネルギーを「武器」に使うのであるとすれば、米国も自国産のエネルギー輸出を同盟国支援のために戦略的に活用することを考えるなど、米国とロシア・ウクライナ・欧州との関係はまさにエネルギー地政学そのものである。その点、主役である米国の今後の国内政治情勢（中間選挙及び次期大統領選挙）も注目すべきである。

第3に、ロシアと中国の関係も、安全保障・国際政治・経済・エネルギーなど様々な分野が絡み合う戦略的関係であり、ウクライナ危機の深刻化の中で中露関係が今後どうなるかも世界の注目点になっている。ロシアのエネルギー輸出についても、短期的な中国の輸入動向および中長期的な欧州市場から中国への振り替わりの可能性など、エネルギー地政学の観点から注目する必要がある。

第4に、ウクライナ危機が深刻化する前までは、世界の地政学問題の中で最重要課題であった米国と中国の対立関係が、このウクライナ危機の影響でどうなるのかも非常に重要な問題である。今や対中国と対ロシアの双方にそれぞれ政策資源を投入して対応する必要に迫られることになった米国及び同盟関係にある欧州・日本等にとって見ると、世界は新たな地政学環境にあると言っても良い。

第5に、この状況下で、中国が今後どのような世界戦略を展開するのかも地政学及びエネルギー地政学上の重要なポイントになる。同時に、中国の国内政策と国内体制の帰趨《きすう》も、国際情勢における中国のプレゼンスの大きさを考えれば極めて重要な地政学要因となる。

第6に、国際エネルギー市場の不安定化が進む中で、輸出側の極めて重要なプレイヤーである中東産油国・産ガス国の動向とその政策も今後の世界のエネルギー地政学を左右する問題となる。その点では、米国とサウジアラビア、あるいは米国のイランの関係の帰趨が要注目であろう。

第7に、今後の世界経済と国際エネルギー市場における需要面での牽引役《けんいん》を期待されるインドや東南アジアなどの動向は、対米関係、対露関係、対中関係などの点で大いに注目される。ウクライナ危機の深刻化の中で、あるいは米中対立構造の中で、これらのアジア新興国を巡る関係強化の綱引きなどがエネルギー地政学の面でも重要となろう。

第8に、エネルギー消費国間の相互協力の帰趨がどうなるかも今後のエネルギー地政学の重要なポイントである。第1次石油危機では消費国協力の瓦解が市場混乱の重要な要因の一つとなった。ウクライナ危機に直面し、先進国および主要新興国・途上国の間での協力体制が本来的には重要であるものの、国際政治や市場の「現実」がどうなるかに注目していく必要がある。

第9に、ここまで紹介してきたエネルギー地政学を見る視座を踏まえて、国際エネルギー市場安定のための国際エネルギー秩序全体がどうなるか、秩序維持の力が働くのか、その逆か、という問題が極めて重要なエネルギー地政学上の課題となる。秩序維持のため、誰が、どのような役割を果たすのか、秩序維持・強化に必要な機能やメカニズムは何かという論点もある。

第10に、こうした複雑で難しいエネルギー地政学情勢の下で、日本は何をすべきか、何ができるかという視座を持つ必要がある。

繰り返しになるが、ウクライナ危機の下で、複雑化し、深刻な問題として、浮上しているエネルギー地政学の問題と主要プレイヤーの相互関係等については、第6章および第7章で内容を詳述することとする。ここでは、ウクライナ危機によって、まさにエネルギー地政学が今後の世界を左右する重大問題となったこと、そのこと自体を指摘するにとどめたい。

6　エネルギー安全保障強化に向けて動き出す世界の取り組み

本章の最後にあたる第6節では、ウクライナ危機の発生と深刻化によって、世界が、とりわけ欧州が、エネルギー安定供給確保の重要性を再認識し、エネルギー安全保障強化に向けて抜本的な対策・政策実施に乗り出したことを指摘して、本章の締めとしたい。

前節で提示したエネルギー地政学の視座のケースと同様に、このエネルギー安全保障政策についても、その内容・特徴・課題などの詳細については、続く第3章で論ずることとする。ここではあくまで、世界のエネルギー安全保障問題に関する認識がウクライナ危機によって大きく変わり、潮目が変わったことを指摘するにとどめる。

2020年以降の世界においては、世界的エネルギー課題と言えば、脱炭素化・カーボンニュートラル問題に意識が集中していた。脱炭素化を実現するためのエネルギー転換をどう実現するかという問題に対する関心一色に染まる国際的な議論の状況となっていたと言っても過言ではない。エネルギー安全保障問題そのものが消えてなくなっていたわけではない。本源的には、エネルギー安定供給とエネルギー安全保障問題は、常に最重要問題であり続けている。しかし、2020年はコロナ禍の影響で著しい供給過剰とエネルギー低価格への対応がエネルギー市場の現実であった。エネルギーは必要不可欠なものではあるが、市場における需給が安定し、価格が低位で推移していれば、エネルギーの存在は「水や空気」のようなものである。形式的にはエネルギー安全保障の重要性は「マントラ」のように唱えられてはいたものの、その重要性は相対的には決して高いと言い難かったのが世界全体としての潮流だった。

これを大きく変えたのが、2021年以降の同時多発的なエネルギー価格高騰であり、そしてそれをさらに大きく突き動かしたウクライナ危機とその影響である。とりわけ、本章第4節で論じた、エネルギーの物理的不足に対する深刻な懸念発生が、強力なエネルギー安全保障政策の実施を求める声・力となったのである。強力なエネルギー政策を遂行することは、コスト負担の面だけで見ても決して容易でなく、それを支える覚悟が必要である。まさに、ウクライナ危機はその覚悟を生み出す源泉となり、国際エネルギー情勢の潮目を変える要因となりつつあるのである。

第3章

重要さ増すエネルギー安全保障

ウクライナ危機の発生によって、国際エネルギー情勢には大きな変化がもたらされた。エネルギー価格の面では、2021年後半からの同時多発的高騰がさらにスケールアップして深刻化している。ロシア依存度の高い欧州を中心に、万が一のロシアのエネルギー供給の支障・途絶発生の際には、物理的にエネルギーが手に入らなくなる「物理的不足」の発生が真剣に懸念されるに至っている。この状況下、世界の主要国は、エネルギー価格高騰に対応した政策（補助金制度など）に取り組みつつ、本格的なエネルギー安定供給対策とエネルギー安全保障政策の実施に乗り出している。

本章では、ウクライナ危機を契機に潮目が大きく変わりつつある、世界のエネルギー安全保障を巡る問題に関連して、まずは序章を引き継ぐ形でエネルギー安全保障問題を再検討する。その上で、エネルギー安全保障政策の歴史的な経緯、政策実施を巡る主要ステークホルダーの関係を論ずる。それを踏まえた上で、現在進行形のウクライナ危機におけるエネルギー安全保障問題の課題と対策、欧州における強力な政策遂行の現状・展望と課題、エネルギー安全保障重視の流れによる国際市場全体への影響を考察し、最後に国際エネルギー安全保障体制整備の重要性を論ずることとしたい。

1　エネルギー安全保障を考える

本書の序章において定義した通り、エネルギー安全保障とは、「市民生活や経済活動、そして国家運営などに必要十分な量のエネルギーを、合理的で手頃な価格で確保すること」である。また、補足として、「必要十分な量のエネルギーを合理的・手頃な価格で確保するため、国家や経済主体が意思決定や外交などの自由度を失わないこと」ということも追記し、エネルギーを確保するために意思決定や外交などの自由度が失われるのであれば、それはエネルギー安全保障が守られているとは言えない状況であることを述べた。

この定義に従えば、全ての国にとってエネルギー安全保障を守ることは極めて重要な問題であることが明白である。エネルギーは市民生活・経済活動・国家運営に必要不可決なものであるため、それが安定的に、必要十分な量を、合理的・手頃な価格で入手できなくなれば、たちどころに生活・経済・国家・社会に甚大な影響が発生することになるからである。

この点は、まさに現在進行中のウクライナ危機においても、あるいはその前から発生していた同時多発的なエネルギー価格高騰によっても、エネルギーが如何《いか》に重要な物資・財であり、その安定供給確保を図ること、エネルギー安全保障を確保することが、どれほど重要であるかを改めて再認識させられることになった。

また、同じく序章で述べた通り、エネルギー安全保障を脅かす様々な事象や構造的な要因が、これまでの経験から特定されてきている。輸入依存度の上昇や特定供給源への依存上昇あるいは特定供給者の市場支配力の強化などはエネルギー安全保障を脅かす構造的な問題である。またエネルギー安全保障を脅かす様々なリスク事象・要因が、戦争・事故・テロなど突発性をもって発生する「緊急事態・偶発的リスク要因」と、問題が徐々に進行し、構造化される性質を有する「構造的リスク要因」(例えば、市場支配、政治的意図による禁輸や制裁、投資不足による需給逼迫《ひっぱく》、資源枯渇など)に大別されることも論じた。エネルギー安全保障を守るためには、自らが直面する、あるいは将来直面しそうなリスク要因は何かを分析し、それぞれのリスク要因の性格や特徴に合わせた対策が重点的に実施されることが重要であることも論じた。

どのような政策もその実施と相応の効果・成果を上げるためには、時間や資源そしてコストが必要になる。これらが無限でない以上、エネルギー安全保障を守るための政策においても、時間・資源・コストの制約の下、優先づけや取捨選択が行われるのは常であり、そのために、どのリスク要因が最も深刻で、最も重要なのかの判断が戦略的に重要になる。もちろん、エネルギー安全保障が脅かされ、それが当該国家や主体にとってどの程度深刻な問題と認識されるのかによってもエネルギー安全保障政策の展開の強度は変わる。端的に言えば、危機意識が低ければ、対策は軽微なものとなり、その時も優先順位づけの下、最も重要と思われるものに限定して対策・政策が打たれる。逆に危機意識が非常に強ければ強いほど、対策・政策もより包括的で、より強力なもの（より多くの時間・資源・コストを要する）になる。その点、ウクライナ危機は、とりわけ欧州等にとって、極めて深刻な危機と受け止められているため、従来にないほど包括的で強力なエネルギー安全保障政策が展開されることになるのである。

それでは、エネルギー安全保障政策とはどのような内容から構成されるものなのか。本章のこの後の議論のためにも、これまで多くの国において採用され、実施されてきた政策をエネルギー安全保障強化のための目的に即して整理し、骨子となる政策の性質を説明することとしたい。

第1には、エネルギー自給率を向上させる政策がある。自給率の低下・輸入依存度の上昇がエネルギー安全保障を脅かすものという認識に基づき、自給率向上のための様々な政策が考案され、実施されてきた。その要諦は、可能な限り国産エネルギーを開発し、利用することと、合わせてエネルギー消費量を抑制することとなる。化石燃料の自国内生産を推進し、国産エネルギーと分類される原子力、再生可能エネルギー利用を拡大すること、そして省エネルギーを推進することがこの政策に該当する。

第2には、エネルギー供給源及び輸入源の多様化を促進する政策がある。多様化・分散化はリスク対策の要諦であり、どれか一つのエネルギー源や供給源に問題が発生しても、その影響を抑制し、軽微なものに抑えることが期待できる。一次エネルギー源の構成をバランスの取れたものにしていき、特定のエネルギー源への過度な依存を回避すること、同じく輸入源についても分散化を図り、特定供給源・者・ルートなどに過度な依存をしないよう多角化を図ることがこの政策の内容となる。

第3には、自給率を向上させ、多様化・分散化を進めた上で、主要な供給者との関係を安定化し、密接化していく政策がある。エネルギー貿易における相互依存の深化に加え、エネルギー以外の分野での相互協力や経済協力も重要な役割を果たす。また、外交関係の強化も対産油国・資源国政策として重要になる。

第4に、上述の3種の政策を実施しても、時には市場が不安定化し、波乱が発生する可能性がゼロとならないため、緊急事態への対応能力を強化する政策が重要となる。これは、基本的には国内における供給余力や変化対応の柔軟性向上が鍵となり、例えば石油備蓄の整備や設備能力面での裕度確保などが重要な内容となる。

第5に、エネルギー供給を実際に行うエネルギー産業の体制を整備し、場合によっては保護育成によって、あるいは市場競争を活用して、その競争力を強化する政策がある。基本的にはエネルギー産業・企業が国際市場からエネルギーを調達し、それを最終消費者に供給する役割を担うため、その産業・企業の競争力を強化することがエネルギー安全保障に寄与するという認識に基づく対応である。

第6に、産業・企業の育成と強化だけでなく、エネルギー供給インフラあるいは供給チェーンの整備と安全確保に関する政策がある。エネルギー供給を最終消費者にまで持ち届けるには、国内外の様々な供給チェーンやインフラを経由する必要があり、その安全を確保し、整備していくことが、消費者へのエネルギー供給を守ることになる。自然災害や気象事象、突発的な事故・意図的な攻撃などからこれらのインフラの安全を守ることも重要な対策となる。すなわち、エネルギー供給システム全体としての強靭性《きょうじんせい》（レジリエンス）を高めることが重要な政策となる。

ここまで整理してきたことは、どちらかと言えば、それぞれの国において、どのようにエネルギー安全保障を守るか、という取り組みであった。エネルギー安全保障への取り組みが個別の国によって行われる以上、この考え方はある意味で当然であり、違和感はあまりないものであろう。他方、エネルギー問題が国際問題であり、国際エネルギー市場全体の安定が、それぞれ個別の国に大きな影響を及ぼすことを考えると、国際市場全体の安定化を目指す、あるいは不安定化をできるだけ回避・抑制するための国際的な取り組みもエネルギー安全保障政策の重要な一部となりうる。

エネルギー安全保障はある意味では国際公共財的な性質を持つ。国際エネルギー市場、例えば、原油市場が不安定化し、原油価格が高騰すれば、全ての消費国が等しく高価格による悪影響を受ける。また、市場連動性・グローバル化が高まる今日のエネルギー市場では、ウクライナ危機で欧州のガス市場が一気に不安定化すれば、それはアジアのLNG市場を直撃することになる。こうした中では、エネルギー市場安定化のための国際協力がエネルギー安全保障確保のため必須となる。危機に際しての供給の融通や代替供給源の提供などは極めて重要な政策であり、協調的な備蓄放出なども重要である。また、市場不安定化に際して、自らの供給確保だけを目指して、他を押しのけて供給確保を図るような行動を抑制していくことも国際協力の重要な一部分となる。ゼロサムゲーム下での排他的な調達行動や資源確保行動あるいはパニック的な行動は、市場の混乱を一層加速化する要因となることが過去の歴史から分かっている。こうした問題の発生を防止するための国際協調の取り組みもエネルギー安全保障を守る重要な要素となる。

2　エネルギー安全保障政策の歴史

エネルギー安全保障は全ての国にとって重要であると論じてきたが、実際にその重要性が強く認識されるに至る経緯には様々な原因や背景要因が影響してきたことは、国際エネルギー市場の歴史から読み解くことができる。その経緯や事情を振り返ってみることで、エネルギー安全保障政策の歴史を理解し、現在の問題を考え、将来に備えることとしたい。

そもそもエネルギー安全保障の問題が、世界的な、あるいは世界の主要国における、重要関心事となってきたことの背景には、先進国での輸入依存の上昇という問題があった。エネルギー安全保障という概念が整理され、その分析や研究が一気に進むようになったのは、米国が石油純輸出国から純輸入国に転換していった１９６０年代を中心とした時期である。当時の米国あるいは欧米での問題意識は、米国が輸入国に転ずることによる安全保障問題全体への影響という部分が相当に大きかった。第2次世界大戦まで、米国がその余剰生産能力を活用して同盟国に対する石油供給を担保する役割も果たしていたからである。また、1950年代以降、スエズ危機（1956年）、第3次中東戦争（1967年）など、中東地域が世界の石油供給の重心となる中で中東情勢が不安定化する動きを示し始めていたこともエネルギー安全保障政策への関心を高めていくことにつながった。

そして、1973年の第1次石油危機の勃発で、国際石油市場が一気に不安定化し、第4次中東戦争とアラブ禁輸で先進消費国が石油供給確保のため必死の対応を余儀なくされ、合わせて原油価格の急騰によって経済に大きな打撃を被ったことから、脱石油政策・脱中東政策からなるエネルギー安全保障政策が本格的に開始されるに至った。この流れは、1978年のイラン革命に端を発した第2次石油危機でさらに加速化し、先進国の石油消費は低迷・減少に向かった。その後の原油価格低下等の影響もあって、先進国でも石油需要は再び緩やかな拡大傾向に転じたこと、途上国・新興国の堅調な需要拡大が継続したことから、世界の石油需要は1980年代後半以降、基本的に増加を続けた。しかし、石油の一次エネルギー全体におけるシェアのピークは1973年の49％であり、そこから漸減を続け、2020年には31％まで低下している。やはり、石油危機後に強力に推進され始めたエネルギー安全保障政策の効果は大きかった。

また、エネルギー安全保障政策の流れを見ると、米国において、極めて特徴的で注目すべき動きや変化が見られてきている。前述した通り、世界的にエネルギー安全保障への関心が高まったのは、米国が石油輸入国に転じたことの影響が大きかった。そして米国の輸入依存度が上昇する中で発生した第1次石油危機で、米国も中東産油国などに振り回され、経済的・政治的にも大きな打撃を被った。そのため、当時のニクソン大統領が、米国の威信をかけて「Project Independence」を発表、米国のエネルギー自給を達成する政策を推進することを発表した。以降、米国の歴代政権は、基本的にエネルギー自給率向上をエネルギー安全保障政策の観点で重視してきたが、現実的には米国の自給率は低下する一方であり、米国の政策や取り組みがこの点で功を奏することは無かった。それが一転したのが、シェール革命による歴史的大増産の開始と継続である。米国の石油純輸入依存度は、2006年には66%まで上昇したが、シェール革命下での石油大増産によって、2020年には4%まで低下、ほぼ自給自足を達成するまでに至った。その結果、米国のエネルギー政策は、石油危機以降の「不足」を前提とし、「不足」に対応する政策から、「豊富」を前提とし「豊富」を活用する政策へと転換した。この点は、今回のウクライナ危機における米国のエネルギー面における対応においても、その特徴を見ることができるように思われる。

さて、歴史に戻り、1990年代以降のエネルギー安全保障政策の特徴を見ると、1990年代は基本的に原油価格を始めエネルギー価格が低位安定した時期であった。また、この時期はエネルギー市場における自由化や競争導入が本格化した時期であり、エネルギーも普通の財として扱い、市場への関与・介入をできるだけ抑制する方向での政策が取られるようになった。その中で、エネルギー安全保障上のリスクは、緊急事態・偶発的リスクが重要であり、これに対応することがエネルギー安全保障政策の鍵であるとの考えが強まった。すなわち、通常時は全て市場に任せて、緊急事態に対してのみ、例えば備蓄で対応するということがエネルギー安全保障への対応の重点であるといった考えが広がりを見せた。

しかし、2000年以降、中国の急速な経済成長とその下でのエネルギーも含めた資源の爆食が始まると、エネルギーの需給構造が長期的に逼迫する傾向を強めるのではないか、価格高騰の長期サイクルに入ったのではないかという点で構造的リスク要因が再び強く意識されるようになった。各国でこうした問題意識に対応したエネルギー安全保障政策への関心が再び高まったのである。

それ以降も、エネルギー安全保障政策を取り巻く国際環境は大きく変化し続けた。1990年以降、急速に関心を集めるようになった気候変動問題が重視される中、エネルギー安全保障と気候変動問題への対応のバランスをどうするか、も重要な問題関心の一つとなった。

さらに、2011年3月の東日本大震災と福島原発事故を経て、原子力を巡る情勢にも世界的に多様で大きな影響が現れるようになった。原子力は世界全体としては緩やかな拡大傾向を続けたが、非化石エネルギーでは、太陽光・風力などの再生可能エネルギーが発電コストの急速な低下もあって、著しい伸びを示すようになった。エネルギー安全保障政策と気候変動政策を考える上でのエネルギーミックス政策にも、これらの動きが影響を及ぼすようになった。

また、気候変動対策推進のため、再生可能エネルギーと電力化の推進がキーワードとなり、電力の重要性が大きく増してくると、電力安定供給政策がエネルギー安全保障問題の重要な位置を占めるようになった。他方、電力安定供給問題に対しては、サイバー攻撃の可能性や、自然変動型の再生可能エネルギーの増大による影響、電力市場自由化による供給余力の低下や、供給力確保のための投資不足問題など、新たなエネルギー安全保障上のリスクが意識されるようになった。特に日本では2021年1月、2022年3月、そして同年6月の電力需給逼迫によって電力安定供給問題への関心が急速に高まることとなった。また、再生可能エネルギーと電力化のためには、どうしても必要な稀少鉱物の存在が意識され、その安定供給確保がエネルギー安全保障の問題の一部として政策課題となっていった。こうして、エネルギー安全保障問題はより複雑化し、それに対応した政策が求められるようになってきたのである。

3　エネルギー安全保障政策の主要ステークホルダー（政府・エネルギー産業・消費者）

エネルギー安全保障政策、という言葉を使う場合、「政策」という語が最後に付いていることもあって、これは政府の仕事・役割である、ということが示されることになる。しかし、同時に、この「政策」を実施していく場合の主要なアクター・プレイヤーの相互関係の存在を意識しておくことが重要となる。

図3－1に、エネルギー安全保障を巡る主体間の相互関係を概念図として示す。「市民生活や経済活動、そして国家運営などに必要十分な量のエネルギーを、合理的で手頃な価

図3-1　エネルギー安全保障を巡る主体間の相互関係

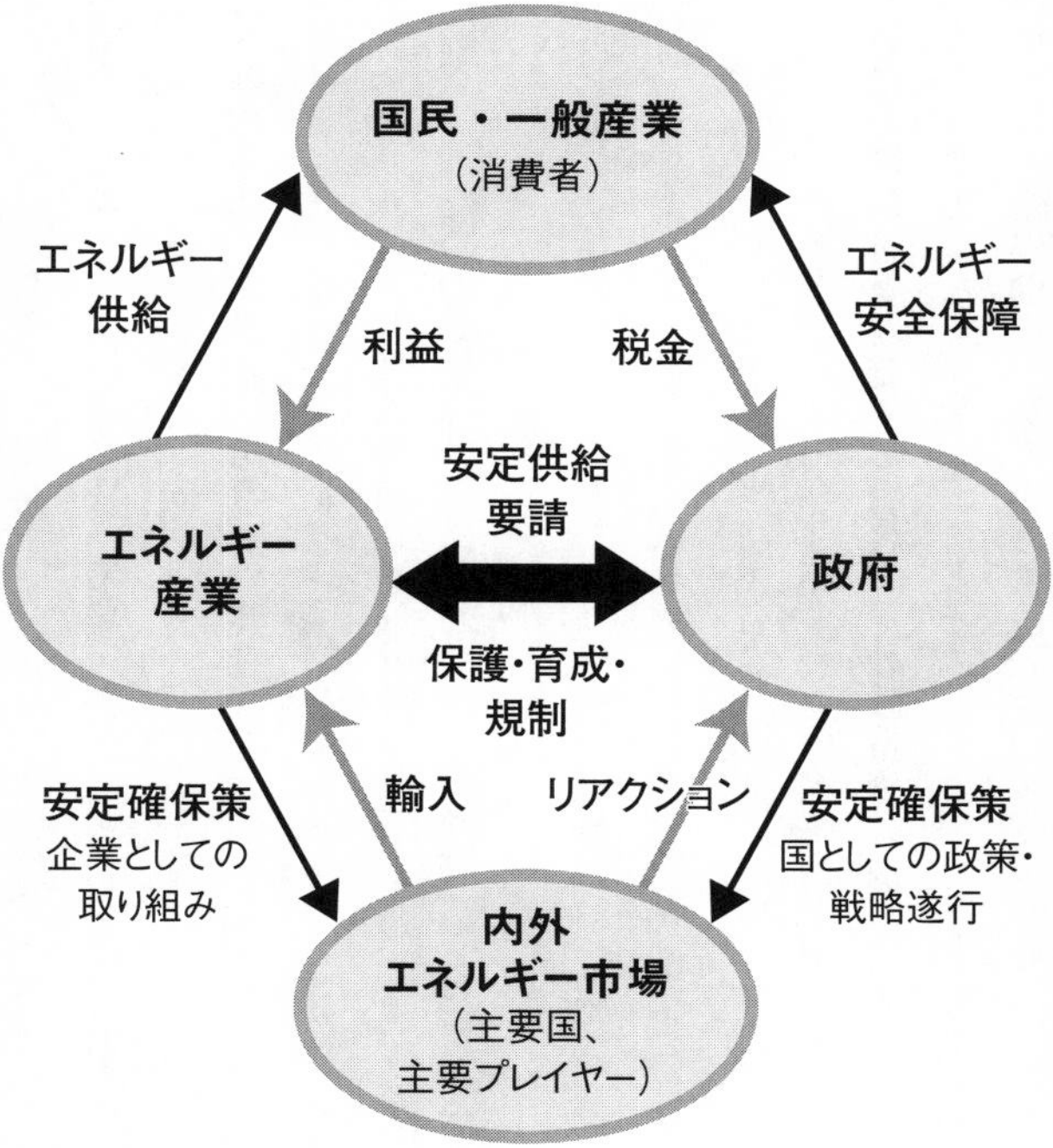

（出所）筆者作成

格で確保すること」と定義されるエネルギー安全保障の問題を考える時、このエネルギー安全保障を守る対象となるのは、国家全体あるいは国民さらには消費者ということになるのは自明である。他方、国民・消費者にエネルギー安全保障を守るための「政策」を実施するのは政府となるのも当然である。もう一つ重要なのは、エネルギー産業の存在である。政府は政策を実施する主体だが、政府が直接消費者に対してエネルギーを供給するわけではない。消費者へのエネルギー供給を行うのはエネルギー産業である。そして、政府はエネルギー安全保障を守るための政策を企業に対して行いつつ、エネルギー産業に対して、保護・育成・規制などの関与を行う関係に立つ。

以上の相互関係を念頭に置きつつ、主体ごとの特徴を整理してみる。まず国民・消費者（および消費者としての企業なども含まれる）はエネルギー安全保障を守る対象となる主体である。彼らのために「必要十分な量のエネルギーを合理的・手頃な価格で供給すること」が求められるのである。そのため、政府はエネルギー安全保障政策を実施することになる。政府が国民のためにその政策を実施する場合、その政策資源投入に必要な負担を国民は税金の形で政府に支払うことになる。政策実施とそのための税負担という関係においては、国民・消費者の側には、効率的な政策の実施や優先度のメリハリのついた政策実施などへの要求が存在する。国民の側の要求と政策による成果のバランスで、政府に対する評価も影響を受けることになる。また、国民・消費者に対して直接エネルギー供給を行うのがエネルギー産業である。エネルギー市場における競争の状況にも影響を受けつつ、消費者はエネルギー供給者を選択し、供給を受け、その対価をエネルギー供給者に支払う。エネルギー供給者はそこから利潤を確保し、企業としての存続・繁栄を図ることになる。

次に政府の視点から、この相互関係を見てみる。政府とは、国民・消費者に対するエネルギー安全保障確保を図るための様々な政策的「措置」を講ずる主体である。エネルギー安全保障確保のための政策は、前節で整理した通り、極めて多岐にわたる内容を含む。外交・経済・産業・通商・技術・社会・環境・エネルギー分野の政策がそれに関与し、政府の様々な省庁・部局が関係することになる。これらの政策を実施するための政策資源の源泉は基本的に国民が負担する税金となる。政府の政策は、国民から、税負担と政策効果のバランスをもって評価されることになる。また、政府は自らエネルギー供給そのものを担当することはないため、直接それを担当するエネルギー産業に対して、国民・消費者へのエネルギー供給とエネルギー安全保障の提供を求めることになる。そのため、政府は「エネルギー産業政策」も実施し、エネルギー産業の保護・育成・競争導入などを行う。そのためのエネルギー市場の設計や制度整備も政府の役割となる。

エネルギー産業は、国によって状況が異なるが、日本の場合では基本的に民間企業がエネルギー供給産業となっている（世界には、国営企業がエネルギー供給を担当する場合も多くみられる）。民間企業である以上、企業としての本源的な目的は「利潤の追求」となる。利潤を確保して企業としての存続と発展を図り、それを通して国民・消費者への継続的・安定的エネルギー供給のサービスを行う。利潤の確保は、国民・消費者に対するエネルギーの提供の対価として受け取るエネルギー代金に依存する。政府との関係においては、政府によるエネルギー産業政策の下、様々な影響を経営等に受けることになる。規制が強く影響する分野では、より政府の関与が保護・育成などの形も含め直接的に企業経営に影響する。規制が緩和され自由化された市場の下では、政府による市場設計や制度整備・運営が企業に影響を及ぼす。こうした中、エネルギー産業・企業は、エネルギー安全保障の実際の提供者としての役割が期待されることになるのである。なお、産業・企業としては、政府からの働きかけとは別途、自らの繁栄と生存のため、産業・企業自身として、低コスト供給確保、供給源分散化、資源国（供給者）との関係強化、インフラ整備を行う努力をする。これらの企業努力も国民・消費者に対するエネルギー供給の円滑化に貢献するものである。

なお、政府がエネルギー安全保障のためなどのエネルギー政策を講じようとする場合、政府が取りうる手段は、①命令・規制、②誘導の2種類に大別することができる。前者は文字通り、法律・行政命令・許認可等によって、直接、企業や消費者の行動を管理する「コマンド&コントロール」である。後者は、さらに、アクターの経済的選択に直接働きかけるもの（補助金、投融資補助・優遇など）、市場機能・価格メカニズムの活用を図るもの（排出権取引、環境税、差額決済方式の買取制度など）、技術進歩の効用促進を図るもの（研究開発推進と成果普及など）、社会変化の効果を期待するもの（教育・広報・パブリックアクセプタンス対策など）、に分類される。それぞれの国情に応じて、上記の様々な政策が選択の上、実施されている。政策遂行の進め方や市場での実際の取り組みは、国によって大きな差異があり、また、政策として対応することが求められる問題の深刻さ（の認識）にも影響を受けるのが現実である。すなわち、政策遂行のための諸般の能力（経済力・技術力・産業力等）が高ければ高いほど、また、当該問題が深刻であると認識すればするほど、強力な対応策が取られることになるのである。

4　ウクライナ危機とエネルギー安全保障問題

ここまで、エネルギー安全保障問題の概論を述べてきた。以下ではその概論を踏まえつつ、現在進行中のウクライナ危機におけるエネルギー安全保障問題と政策対応を考察する。

第1に強調したいことは、ウクライナ危機及びその本格化の前から進んできた同時多発的エネルギー価格高騰の問題は、極めて深刻なエネルギー安全保障上の脅威と受け取られていることである。ウクライナ危機の特徴には、「戦争」と「制裁・禁輸」の組み合わせや危機以前からのエネルギー価格高騰と特定供給源への高い依存という点において、第1次石油危機と類似性・共通点が見られ、エネルギー供給の物理的不足発生の懸念があることも共通している、と論じてきた。そのため、共に強力なエネルギー安全保障政策が取られる素地が準備されており、第1次石油危機の場合には、その強力な政策推進によって世界の石油需要の一次エネルギー全体に占めるシェアがピークを打って減少に向かう契機となったように、ウクライナ危機での強力な政策推進が次の「ターニングポイント」になる可能性も注目されるところとなっているのである。

第2に、ウクライナ危機の問題は、ロシアによるウクライナ侵攻が問題の中心にあり、同時にロシアのエネルギー供給の重要性がエネルギー地政学の中心にある、という点が重要である。そして、欧州とロシアが極めて深いエネルギー貿易面での相互依存関係にあることから、ロシアのエネルギー供給に不測の事態が発生する場合には、ロシア・欧州の双方に重大な影響が及ぶことは不可避となる。ロシアの軍事侵攻に対抗してエネルギー分野の制裁を科すことはロシアへの影響だけではなく、欧州や世界の消費国にも多大な負の影響を及ぼすことになる。グローバル化が進む世界経済では、ウクライナ危機の余波は世界全てに伝播し、国際エネルギー市場でもロシアのエネルギー供給支障は、ロシアのエネルギーに深く依存する欧州はもとより、世界全体のエネルギー価格高騰をもたらす要因となる。

第3に、消費国のエネルギー安全保障政策の観点では、ロシア依存の低下・抑制を図りつつ、著しい市場不安定化を回避する方策が求められる。そのためには、各国での包括的な国内対策の実施と共に、国際連携・協力を維持してウクライナ危機に対応する国際戦略が求められていくことになる。

第4には、エネルギー安全保障政策と気候変動政策の関係にも注目していく必要がある。この問題は、別途、第5章において詳述するので、ここではその内容に踏み込まない。ただし、2021年前半頃までは、世界のエネルギー問題での議論を席巻していた気候変動対策に関する問題が、喫緊の最重要問題であるウクライナ危機の発生でどのような影響を受けていくのかが重要な政策問題となっていることを指摘しておきたい。

さて、上記4点を述べた上で、具体的にウクライナ危機によって一気に重要性を増したエネルギー安全保障政策の内容、骨子について、次の4本柱が重視されていることを強調しておきたい。この4本柱は、ある意味で全ての消費国において共通するが、当然のことながらロシアとの関係において、エネルギー危機に最も深刻に直面する欧州において、極めて高い重要性を付与されている政策の柱である。

第1の柱は、脱ロシア依存政策である。ロシア産のエネルギー（石油、ガス・LNG、石炭など）への依存を低減するため、次の2つの政策が重視されることになる。最初の政策群は、エネルギー需給構造全体を調整し、エネルギーミックスの変化を通じてロシア産のエネルギーへの依存を下げるものである。具体的には、再生可能エネルギーを推進し、省エネルギーを加速し、原子力の利用を進めるものであり、非化石エネルギーの割合を高めることで脱ロシアを目指す政策となる。脱ロシアのための2つ目の政策群は、ロシア以外の化石燃料供給源を確保する政策である。エネルギーミックスを調整しても、簡単に短期的に化石燃料消費をゼロにすることはできない。その時、元々ロシアから供給を受けていた分を非ロシア産の化石燃料で補えば、やはり脱ロシアに貢献することになる。石油の場合であれば、代替供給源として供給余力のある中東産油国などからの供給が期待されるところである。ガス・LNGは、世界的に供給余力が基本的に存在していないという問題がある。その中で、需給逼迫化に対応して柔軟に供給を行うことが可能で、今後も能力拡大が期待できる米国LNGやカタールLNGなどが主要な供給源と目される。石炭についても、コロンビア、南アフリカ、米国、豪州、インドネシアなどが代替供給源として期待されるに至っている。

第2の柱は、緊急事態への対応力強化を図る政策となる。石油市場においては、既にIEAによる協調石油備蓄放出が2回実施され、米国独自の放出と合わせれば、2022年以降で合計3億バレルの備蓄放出となる。今後も事態の展開次第ではIEAによるさらなる取り組みが検討される可能性もある。また、緊急事態に応じて、余剰能力を有するサウジアラビアなど中東産油国からの緊急増産も対応策オプションの一つである。ガス・LNGの場合は、繰り返しになるが追加供給を速やかに実施できる余剰生産能力が基本的に存在せず、LNGについては備蓄も各企業の操業上の最低水準の在庫があるだけとなっている。この状況下、緊急事態に応じては、需給状況に応じて、柔軟に供給を調整できる米国

ＬＮＧへの期待が大きい。また、主要消費国間での緊急融通とそれを可能にする各国でのエネルギーミックス上での調整も含めた取り組みが重要となる。いずれにせよ、今後も発生する可能性のある緊急事態に対しては、市場不安定化を抑制するための国際協力メカニズムの機能が極めて重要であり、その体制整備・強化が政策として進められる必要がある。

第3の柱は、危機対応のためにも、また中長期的な視点においても、市場安定化のために十分な供給力及び供給余力を確保するため、必要なエネルギー投資を促進する政策である。エネルギー需要の状況に応じた供給力を備えることは市場安定化のまさに要諦である。また、様々な要因の影響で短期的にも大きく変動する需要に即応するための供給余力を必要十分に有することも、需給安定化の鍵を握る。要するに、そのためにはエネルギー部門に十分な投資が行われなくてはならないが、様々な市場における問題がそれを阻害する状況が見られる。電力市場では自由化の下、投資確保が困難になり、供給余力の低下が進んでいる。再生可能エネルギーの導入拡大で卸電力価格が低下することで、火力発電の経済性が低下し、この問題はさらに複雑になっている。他方、今回のウクライナ危機で問題の中心となっているのは化石燃料市場の不安定化であるが、脱炭素化の潮流が加速する中、化石燃料投資不要論が台頭したり、化石燃料投資を抑制するための金融・ファイナンス面での議論や取り組みが強化されたりするなどの動きが顕在化してきた。しかし、相当な長期間にわたる脱炭素化に向けた移行期間において、化石燃料が重要な役割を果たし続けることは間違いない。そのため、化石燃料部門に対しても、適切な投資確保を図ることがエネルギー安全保障政策として重要である。EUでは非ロシアのLNG調達を図る取り組みが進められているが、LNG市場全体の供給力を増加させなければ、単なる「ゼロサムゲーム下での取り合い」になってしまう恐れもある。この点では現実には様々な意見・見解が存在するが、エネルギー安全保障強化のため、世界的に十分な議論が行われ、合理的な判断が下されていくことが求められる。なお、2022年6月のドイツG7サミットでは、LNG投資に対しては緊急対策としてその必要性を認める議論がまとめられている。

第4の柱として、安定的なベースロード電源（常に一定の運転をすることで電力供給の基礎となる電源）の価値を再認識した政策の重要性が浮上していることを挙げたい。特にその点において、原子力の重要性に再び脚光が当たる状況が欧州を中心に見られるようになっている。欧州の事例は後述するが、ウクライナ危機の本格化の前、2021年後半の同時多発的エネルギー価格高騰の時期から既にその萌芽が見られていた。安定的なベースロード電源であり、かつゼロエミッション電力を供給する原子力を見直す動きが様々な国で見られるようになったのである。もちろん、ウクライナ危機では、ロシアがウクライナの原子力発電所に武力攻撃を加えるという暴挙が発生し、そのため原子力を巡る新しいリスクとして世界の関心を集めることにもなった。しかし、その中でも、今後原子力を巡る議論が世界的に活性化していくことは間違いなく、安全性を追求しながら原子力の利活用を図る政策が進められていく可能性は高いものと思われる。

5 欧州に見る強力なエネルギー安全保障政策の展望と課題

前節では、ウクライナ危機を契機に、エネルギー安全保障政策の重要性が大きく高まり、ロシア依存からの脱却、緊急時対応能力の強化、十分な供給力・供給余力を確保するための適切な投資の実施、安定的なベースロード電源の重視、という4本柱でのエネルギー安全保障政策が展開されるようになっている状況を述べた。本節では、それを踏まえ、今回の危機で、最もエネルギー安全保障上の脆弱性《ぜいじゃくせい》を意識し、強力な政策を推進しようとしている欧州、とりわけEUでの政策的取り組みの実態を整理・分析し、その課題を探ることとする。

図3－2に、EUにおけるエネルギー安全保障政策の取り組みの概要を示す。EUは2

図3-2　EUのエネルギー安全保障強化に向けた政策

	概要
リパワーEUに関する政策文書 (2022/3/8, COM(2022) 108 final)	●2030年より前にロシア産化石燃料依存から脱却。2つの柱として、ガス供給の多様化、化石燃料依存の迅速な低減。 ●Fit for 55パッケージの提案内容実施に加え、さらなる天然ガス調達多角化、再生可能ガス利用拡大、省エネ強化、再生可能電源拡大、電化進展を通じて、2030年までに天然ガス消費量の1550億㎥（2021年のロシアからの輸入量に相当）削減を目指す。
ベルサイユ宣言 (2022/3/10-11 欧州理事会)	●ロシア産化石燃料（ガス、石油、石炭）輸入依存の段階的廃止に合意。（特に、化石燃料への依存低減を加速、LNGやバイオガス利用を通じた供給源多角化、水素市場を整備、再エネ開発を加速・許認可手続きを簡素化、欧州電力・ガスネットワークを改善・接続、EU緊急時対応計画を強化、エネルギー効率・エネルギー消費管理を改善） ●欧州理事会、欧州委員会へ5月末までにリパワーEU計画の具体的な内容提案を求める。
供給セキュリティと手頃なエネルギー価格に関する政策文書 (2022/3/23, COM(2022) 138 final)	●欧州委員会は、ガス貯蔵に関する新たな規則案（既存規則の改正案）を提案。主な内容として、2022年11月1日までにガス地下貯蔵容量の80%以上、次年以降は90%を満たすことを義務づける。すべての貯蔵システムオペレーターに新たな認証を義務づける。 ●また、EUレベルでの共通ガス購入に関するタスクフォース設立を準備。

（出所）下郡けい（日本エネルギー経済研究所、2022年4月）

022年3月8日に、「リパワーEU（REPowerEU）計画」と呼ばれる脱ロシアエネルギー戦略を発表した。同計画は、2030年までに（そして更なる前倒しを目指して）ロシアからの天然ガス輸入脱却を目指す、非常に野心的で挑戦的なエネルギー戦略である。2030年に向けたEUのエネルギー戦略としては、気候変動対策として、2030年のGHG排出55％削減（1990年比）を目指す「Fit for 55計画」が存在していたが、「リパワーEU計画」は、それをさらに野心的に加速する内容を含んでいる。具体的には徹底的な省エネルギーの推進と再生可能エネルギーの導入推進のこれまで以上の加速を目指す内容となっている。また、同計画では、ガス供給源として非ロシア産のガスの導入促進を目指しており、具体的にはLNGの利用拡大や非ロシアのパイプラインガス調達が中心になるものと考えられている。ロシア産の天然ガスに依存するドイツでは、LNG輸入のための輸入基地の建設・整備が定められ、具体的な事業が推進されている。これらの取り組みを通して、2021年にEUがロシアから輸入した天然ガス、1550億立方メートル（立米）を代替する計画となっている。同計画の直後に発出された、欧州理事会での「ベルサイユ宣言」でも同様の方向性が示され、電力化の推進、水素の利活用の促進、バイオガスなどの重要性も指摘された。他方で、3月23日に発出された政策文書においては、最もクリティカルな問題であるガス供給セキュリティ確保のため、EUとして、2022年11月1日までのガス地下貯蔵容量の80%以上、翌年以降は90%以上を満たすように求める規則を定め、ガスの備蓄制度を導入することや、ガスの調達力向上を目指し、EUの共同購入を検討することを定めた。これらの政策対応も、従来のEUの政策から一歩も二歩も踏み込んだ強力な政策である。それだけ、ウクライナ危機のインパクトが甚大であり、EUとして未曽有《みぞう》のレベルでの対応が求められており、それを実施していくことが政治的・社会的にも許容されている、という状況なのである。

なお、欧州によるロシア産の天然ガス依存からの脱却という点で象徴的な事例は、ロシアとドイツを結ぶ新しい大型天然ガスパイプライン計画、「ノルドストリーム2」を、ドイツがロシアのウクライナ危機の深刻化を踏まえ停止し、代わってLNG活用への転換に舵を切ったことに見ることができる。

ドイツは冷戦期においても当時のソ連から西ドイツ（当時）がパイプラインガスを輸入することで相互依存関係を強化し、関係の安定化を図るという戦略を重視してきた。この戦略は「ノルドストリーム1」パイプライン建設計画でも堅持され、2011年の第1ラインの完成以降、総計で550億立米の容量を有する大型ガスパイプラインが稼働し、ロシアのガスがドイツまで供給される状況となっていた。さらに、それを拡大する計画が「ノルドストリーム2」計画であった（輸送容量は同じく550億立米）。同計画に対しては、トランプ政権が安全保障上の懸念等を挙げて反対するなど、様々な経緯もあったがドイツの姿勢は基本的に変わらず、2021年には建設自体が完成し、関係各国の認証手続きを待つ状況であった。

しかし、ドイツのショルツ首相は、ロシアによるウクライナ東部州における「ルガンスク人民共和国」などの独立承認を受け、ウクライナの国家主権を侵害する行為であるとして、同計画の認証を停止した。そして、再生可能エネルギーや省エネルギーの推進加速を図りつつ、非ロシア産ガスの確保のため、LNG輸入基地の建設に着手するなど、政策の大転換を行ったのである。他方、ドイツなどのLNGへの転換は、LNG市場全体での供給力拡大とそのための投資促進とセットになって行われなければ、単に「ゼロサムゲーム下での取り合い」になるだけ、という恐れがある。

また、欧州では、原子力についても様々な動きが現実化している（図3-3）。この動きは、2021年後半からのエネルギー価格高騰によって既に始まっており、例えば、2021年10月には欧州委員会のフォンデアライエン委員長が、価格高騰問題に対応して、

図3-3　欧州での原子力を巡る動き

- 2021年10月、フォンデアライエン氏が「原子力は必要」と言及
- 2021年11月、仏マクロン大統領、国内の原発建設再開を発表
- 2022年2月、仏、原子力についての新しい戦略を発表

これまでの政策	新政策
•2025年までに**原子力比率75%→50%**を目指す（2015年エネルギー転換法） •その後、目標年限を**2035年**に繰り下げ（2020年エネルギー多年度計画）	•安全上問題がある場合を除き、既設**50年以上**運転 •**6基**を**2050年**までに新設。更に**8基**建設も検討中 •**SMR開発**、及び廃棄物の少ない**革新型炉開発**にそれぞれ5億ユーロ、**計10億ユーロ**を割り当て

- 2022年2月、EUタクソノミーでの原子力の位置づけ
- 2022年4月、英国が原子力新設計画を発表
- 他方、ウクライナ危機での原子力発電所への武力攻撃が重大関心事項に

（出所）筆者作成

「安定的なエネルギーである原子力はEUにとって必要」との趣旨の発言を行っている。この流れを受けて、同年11月には、フランスのマクロン大統領が、フランスが原子力発電所の建設を再開する方針を発表した。そして、2022年2月には、それを具体化して、2050年までに6基を新設し、さらに8基を追加することを検討することを表明した。同時に原子力の新型炉として期待されている小型モジュール炉（SMR）開発の取り組み強化を明記した。

また、同年2月には、前出フォンデアライエン委員長の発言の流れを受け、EUタクソノミーにおいて原子力は（天然ガスと共に）持続可能な投資分野であることを、一定の条件の下で認める方針が定められた。また同年7月、欧州議会はその方針を支持することを決定した。

さらに、同年4月には、英国がエネルギー戦略を発表し、その中で2030年までに原子力を最大8基建設し、2050年の原子力比率（電源構成比）25％を目指す方針を発表した。その他、ベルギーでは原子力発電所の運転を10年延長し、廃止先延ばしを決定するなどの動きも見られている。さらに、ロシア依存度の高い東欧諸国などでも原子力の利活用を図る動きが進んでいく可能性も指摘されている。

これらはいずれも、今後の進展を見極めていく必要があるものだが、ウクライナ危機とその前からのエネルギー価格高騰に対応して、原子力の重要性を再認識し、国情に応じて取り組みを進めようとする動きである。欧州発となるこの動きは、前出SMRへの期待の高まりとともに、世界的に原子力に対する関心を再び高めることに寄与しており、福島原発事故以来、再び原子力問題に関する世界の動きの潮目の変化となる可能性が高い。

欧州では、こうしてウクライナ危機を契機にエネルギー安全保障強化に向けて様々な取り組みが進められようとしている。その取り組みは総じて一定の時間が掛かるものが多く、具体的にそれぞれの取り組みがどの程度進展し、成果を上げるかどうかは、まだ予断が許されない状況にある。しかし、欧州が、EUが、そして各国が、高い本気度をもって取り組もうとしていることは間違いのない事実であり、この取り組みが欧州のエネルギー需給構造を変化・変容させていく力を持つことは確かであろう。ウクライナ危機は欧州のエネルギー政策におけるターニングポイントになったと言っても過言ではない。

ただし、「リパワーEU計画」などが、その設定された政策目標を予定通り実現できるかどうかはまだわからない。先述の通り、その目標は非常に高く、極めて野心的である。例えば、代替目標となるロシアからのガス輸入量、1550億立米は、LNGに換算すると1億1000万トン以上であり、短期的にこの数量をLNGのみで確保することは到底できないものと思われる。また、その実現のためには、相当なコストが必要であり、それが欧州のエネルギー価格をさらに押し上げてしまう可能性もある。ウクライナ危機の今後の展開で、欧州が深刻な景気停滞に陥る可能性も指摘される中、強力なエネルギー対策がエネルギーコストの著しい上昇を伴う時、欧州経済が、あるいは欧州市民が景気後退やエネルギー価格上昇に耐えられるかどうかも今後問われていく可能性がある。

もう一つ、「リパワーEU計画」では、ロシア産のガスの代替として、LNGへの期待が高い。また、2030年の目標でなく、現時点からEUはLNGの確保・調達に大きな努力を注ぐことになる。EUによるLNGの調達は、その増加分に相応しい全体としての供給拡大が無ければ、世界の消費国の間でのLNGの獲得競争を生み出し、その価格をさらに高騰させる結果を生み出すことになる。その意味でも、EUとして、LNGの安定調達格のため、世界のLNG市場の安定のため、自らの調達だけでなく、上流から下流に至る、国際的な供給チェーンへの適切な投資確保・促進に向けた政策を重視する必要がある。

なお、本年6月以降のロシアによる欧州向けガス供給の削減を受け、今冬のガス不足が懸念されるようになる中、ドイツでは石炭火力発電を活用することで、危機を乗り越えようとする動きも現れている。

6　エネルギー安全保障強化の潮流と国際エネルギー市場への影響

本章の最後となるこの節では、ウクライナ危機によって、特に欧州で強まるエネルギー安全保障重視のトレンドが、欧州だけでなく世界全体で展開される場合の、国際エネルギー市場への影響を考察してみることとしたい。

エネルギー安全保障が重視される潮流が加速化する中では、どの国においても、エネルギー自給率を向上させることが重要になる。その中で、エネルギー価格が高騰する状況では、省エネルギーに対する関心が一層高まり、省エネルギー推進がこれまで以上に重要になっていく可能性が高い。また、ウクライナ危機の今後の展開次第であるが、世界経済への悪影響が顕在化する場合にも、成長鈍化によるエネルギー需要の下押しが発生する可能性がある。中長期的にも、地政学リスクが高く、安全保障が重視される世界では、効率最大化を追求する世界よりは経済成長が相対的に低位となる可能性があり、その面でのエネルギー需要への影響も注目されるところである。

また、エネルギー自給率向上のためには、国産エネルギーの推進が基本になる。そのため、世界のいずれにおいても、再生可能エネルギーの推進は共通の重要課題となる。他方、再生可能エネルギーの拡大加速化に対応して、電力市場安定化への取り組みが重要性を増すと共に、稀少鉱物の安定供給問題もさらに脚光を浴びることになる。国によって差異は出てこようが、相対的には原子力の利活用拡大に向けた取り組みも世界的に見られていく可能性がある。

他方、化石燃料についても、エネルギー安全保障が重視され、国産エネルギーの開発が重要になる中では、その資源賦存状況に応じた取り組み強化も進む国が多く出てくる可能性がある。特に発展途上国・新興国においては、自国の石油・ガス・石炭資源の有効活用はエネルギー安全保障強化のために、その重要性が再認識される動きが顕在化する場合もあると見られる。進行中のウクライナ危機とその下でのエネルギー価格高騰及びエネルギー市場不安定化の動きを受けて、国産資源開発は重要な意味を持つ政策となる。特に需給の不安定化が進む「有事」の場合には、利用可能な資源・オプションは全て活用されることになり、これは先進国（欧州含む）でも当てはまる。有事の場合には、気候変動対策にはマイナスとなっても、石炭火力発電所を有効活用する動きが出てくることに何の不思議もないだろう。

中長期的に見ても、エネルギー安全保障が重視される世界においては、各国のエネルギー資源の賦存《ふぞん》状況やエネルギー技術力の差異などに応じて、国産エネルギー開発も多様なパターンで、世界的にはまだら模様で進んでいく可能性がある。

また、化石燃料市場の安定がエネルギー安全保障確保のためには如何に重要であるかが今回のウクライナ危機で浮き彫りになったことから、化石燃料への適切な投資の重要性に関する問題が、世界的な議論のポイントになっていく可能性が高い。化石燃料を気候変動面において、またロシア依存問題の面において、「悪」であると位置づける意見から見れば、それは化石燃料からの脱却が一層急務になった、ということであり、そのためには化石燃料投資をさらに削減すべきだ、という論理が出てくる。しかし、逆に世界は化石燃料を利用する状況に相当期間はあり続けるという実態を考えると、市場安定化は極めて重要となる。また、長期的に見ても化石燃料の脱炭素化によって、気候変動対策を強化しながら化石燃料を有効活用する方策があることを考えると、この面でも化石燃料に対する適切な投資は重要となる。

こうした議論の行方を考える上でも、ウクライナ危機によるエネルギー安全保障重視の流れが、米国に、バイデン政権にどのような影響を及ぼすかが注目される。気候変動対策を最重要課題と位置づけてきたバイデン政権であるが、今回のウクライナ危機の展開の中で、米国のシェール革命が如何に重要な成果を上げてきたのか、米国からのLNG輸出や石油生産の拡大が国際市場の安定や同盟国の戦略的支援という面で如何に重要な役割を果たしているのか、再認識する機会になったものと思われる。これから中間選挙を控え、さらには2年後に大統領選挙を迎える米国での化石燃料の位置づけや化石燃料投資を巡る議論がどうなるかは、世界のエネルギー市場の安定に大きな影響を及ぼす要因の一つになるものと思われる。

第4章

ウクライナ危機と脱炭素化

──その影響と課題

前章では、ウクライナ危機によってエネルギー安全保障問題の重要性が一気に高まり、欧州を中心に主要国がエネルギー安定供給確保とエネルギー安全保障強化を目指す取り組み強化を本格化し始めた状況を論述した。2021年の前半頃までは、世界のエネルギー問題に関する議論の中心が気候変動対策と脱炭素化・カーボンニュートラルを巡る問題に集中していた状況から考えると、ウクライナ危機で様相が一変したということもできる。

他方で、脱炭素化の取り組みの重要性そのものが失われたわけでは全くない。気候変動問題は現に世界の重大問題として存在し続けており、21世紀の中頃を目指した脱炭素化・カーボンニュートラル実現は、各国の重要な長期エネルギー・環境戦略の課題である。

しかし、ウクライナ危機でエネルギー安定供給確保が喫緊の最重要課題として浮上し、エネルギー安全保障政策の相対的重要性が大きくクローズアップされる中、この動きが世界の脱炭素化への取り組みにどのような影響を及ぼすのか、という問題意識が強く持たれるようになっている。端的に言えば、ウクライナ危機によるエネルギー政策上の重点の変化は、脱炭素化への取り組みを加速化するものなのか、減速させる性質を持つものなのかという問いへの関心が高まっていることであろう。

本章では、以上の問題意識に基づき、最初に2020年以降に世界で加速した脱炭素化の潮流を説明し、合わせて脱炭素化に取り組むための対応策とその課題について論ずる。次いで、ウクライナ危機によって脱炭素化からエネルギー安全保障へ問題監視が大きくシフトしたことを説明した上で、短期的な供給途絶など「有事」の際のエネルギー対応とそのCO_2排出への影響、中長期的なエネルギー戦略変化による脱炭素化への影響、脱炭素化への取り組みにおける国・地域による変化の可能性等の問題を整理する。

1　2020年以降、世界で一気に加速した脱炭素化の潮流

化石燃料を中心とした世界のエネルギー消費が増大することによって、大気中に放出されるCO_2などの温室効果ガス（GHG）が増加、その濃度が高まることによって地球の気温が上昇し、気候変動を通して、海面上昇・砂漠化・異常気象や自然災害の頻発・食糧生産への影響など地球規模での環境問題が悪化する、地球温暖化問題は、1980年代終盤頃から世界の重要課題として関心を集めるようになった。

1990年代にはリオデジャネイロで「地球サミット」が開催され、国連気候変動枠組条約（UNFCCC）が批准され、その締約国会議（COP）が開催され、地球温暖化・気候変動防止のための議論が進められてきた。世界で初めての気候変動防止のための国際枠

組みが1997年に京都で開催されたCOP3で「京都議定書」としてまとまり、EUや日本など先進国を中心に世界の一部の国がGHG排出削減の義務を負って、2008〜2012年を「第1約束期間」と定めて排出削減に取り組むことが決まった。

その後、様々な経緯を経て、2015年にはパリで開催されたCOP21において、「パリ協定」が採択され、世界の産業化以降の気温上昇を2℃より十分に低く抑える、という野心的な気温目標と共に、各国がそれぞれ自発的にGHG排出削減目標を定め、削減に取り組むというボトムアップ型の取り組み方式を採用することで、「京都議定書」よりはるかに多くの参加国を得て、気候変動防止の国際枠組みがまとまることになった。

しかし、その後、世界的な異常気象の頻発なども受けて、気候変動問題への関心が国際的に大きく高まりを見せ、著名な環境活動家、グレタ・トゥーンベリ氏の活躍などもあって、気候変動防止対策を従来以上に強化していくことを求める動きが強まっていった。

こうした流れが一気に加速化したのが2020年であった。2020年はコロナ禍の甚大な被害が世界を襲った年であり、この影響が気候変動問題への取り組みにどう影響するかが注目されたが、コロナ禍からの復興に「グリーン投資」を活用する戦略を採用したEUの動きなどを受けて、一気に世界は脱炭素化の方向に舵を切り始めた。

かねてから、2050年にCO_2などの排出を実質的にゼロにする（排出を大幅に削減し、それでも残ってしまう排出分について、森林吸収などで相殺し、正味であるいはネットでゼロにする）「カーボンニュートラル」の方針を示していたEUに続き、2020年9月に中国が2060年でのカーボンニュートラル実現を目指すことを表明、翌10月には日本が2050年のカーボンニュートラル目標を発表、11月には米国で民主党のバイデン氏が大統領選挙で勝利、選挙公約となっていた2050年のカーボンニュートラル目標が米国の方針となることが明らかになった。

この流れは、2021年に入っても一層強まり、5月には国際エネルギー機関が、世界全体が2050年に実質排出ゼロとなるNet Zero Emissionシナリオによる世界のエネルギーの将来像を発表し、世界に衝撃が走った。また、10月末から英国グラスゴーで開催されたCOP26に向けて、ロシア、サウジアラビア、インドネシア、豪州など主要国が次々にカーボンニュートラル目標を発表し、COP26の場において、インドも2070年でのカーボンニュートラル目標を発表するに至った。

脱炭素化・カーボンニュートラルを目指す国際的な潮流のモメンタムが強まる中で、COP26では「グラスゴー気候合意」が採択された。同合意では、地球の気温上昇を1・5

℃に抑制する努力を追求することが確認され、排出削減対策のない石炭火力発電所を段階的に削減すること、各国は必要に応じて2022年末までに2030年のGHG排出削減目標を見直し、提出すること、などが定められた（図4－1）。

まさに、COP26を一つの重要な「頂点」として、2021年の間は、特に年後半に至るまでは、カーボンニュートラルへの取り組みが世界のエネルギー問題の中心そのものであり、エネルギー問題に関する世界の議論は脱炭素化・カーボンニュートラルへの対応一色に染まっている状況であった。

もちろん、その理由は、世界が、あるいは主要国が全てカーボンニュートラルに向かうとするならば、それぞれのエネルギー需給構造とそれを支えるエネルギーシステム・インフラを根本的に変革する、あるいは革命的な変化を生じさせる必要があるからである。2020年時点で、世界は一次エネルギー供給の8割強を石油、石炭、天然ガスからなる化石燃料に依存している（図4－2）。再生可能エネルギーや原子力などの非化石エネルギーのシェアは未だ2割に満たない。そして、化石燃料が主体となるエネルギー需給構造を支える世界に張り巡らされたエネルギー供給チェーンと最終消費機器の全てが、基本的には長寿命の資産（レガシーアセット）であり、ストックベースで見て、それほど簡単に置

図4-1　グラスゴー気候合意の概要とポイント

■ 気温上昇を1.5℃以内に抑制するための努力を追求する

■ 排出削減対策の無い石炭火力発電を段階的に削減

■ 2022年末までに必要に応じて2030年排出削減目標を見直す

■ 途上国支援額1000億ドルを2025年までのなるべく早期に実現

■ 非効率な化石燃料補助金を段階的に廃止する
（その他、国際クレジット取引のルールも合意）

<意義と課題>

<意義>

■ 脱炭素化への取組みの勢いと流れを維持（「1.5℃目標」の確認）

■ 石炭火力段階的削減に言及

<課題>

■ 「1.5℃目標」実現への具体的道筋は不明

■ 目標厳格化に伴い、南北対立先鋭化や意見不一致・不協和音の顕在化

（出所）筆者作成

図4-2　世界及び主要国の一次エネルギー構成比（2020年）

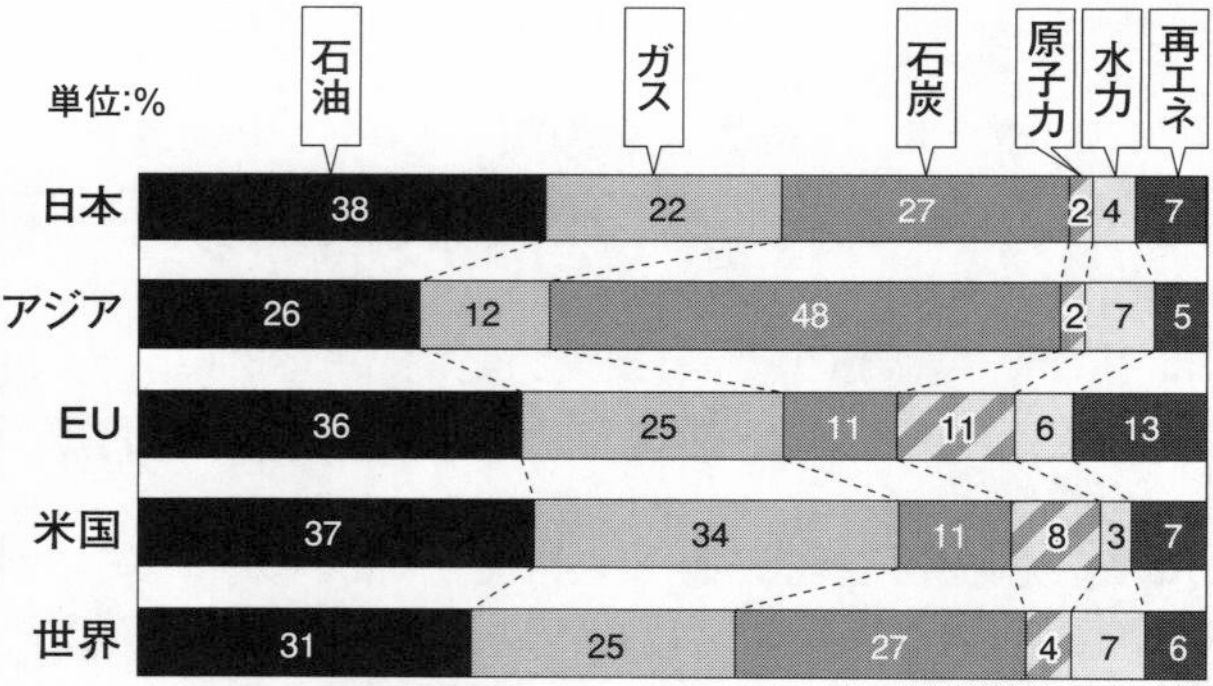

（出所）BP統計2021年版より筆者作成

き換わっていくものではない、という事実を踏まえると、2050年までの30年足らずの時間で、カーボンニュートラルを実現することはまさに革命的な変化が必要な、極めて野心的な挑戦である。

2　脱炭素化の処方箋とその課題

世界が、そして主要国が、カーボンニュートラルを目指していく上では、エネルギー需給構造の革命的な変化が必要であることは上で述べた。そのための取り組み方針や戦略を見ると、ある意味では、カーボンニュートラル実現のための共通の「処方箋」といったものが見て取れる。

第1の処方箋は、省エネルギーを徹底的に

推進し、エネルギーの消費量を可能な限り抑制することである。2050年に向けたカーボンニュートラル目標を明示し、同時にそのための包括的なエネルギー需給見通しを発表している地域・国（EU、英国、フランス、ドイツなど）の例を見ると、2050年までにエネルギー消費量を3～4割程度削減する目標を示している。

第2の処方箋は、再生可能エネルギーや原子力などの非化石エネルギーの推進である。特に近年その伸びが著しい再生可能エネルギーへの期待は高く、電源構成における太陽光・風力発電などの再生可能エネルギーのシェアの見通しは2050年には8割あるいはそれ以上となっている。

第3の処方箋は、エネルギー消費における電力のシェアを増大させる「電力化」を徹底的に追求し、同時にその電力をゼロエミッション化することである。ゼロエミッション化はどの分野でも困難な目標であるが、再生可能エネルギーや原子力など、既存のゼロエミッション発電技術が活用できる電力部門が相対的には一番取り組みやすい。だからこそ、電力をゼロエミッション化した上で、できるだけ電力の割合を高めることが最も合理的な排出削減策となるのである。

しかし、こうした、基本的に重要で、共通して重視されている「処方箋」を用いて対策を実施しても、これだけではカーボンニュートラルには到達しない。例えば、電力化を推進しても、どうしても電力化できないエネルギー分野が残る。熱利用に関する分野がその代表であり、産業用・民生用・交通用など多様な分野で電力化が困難な分野、そしてそこでの排出削減が難しい分野が残ってしまう。それらの分野における化石燃料消費を代替するゼロエミッションエネルギーがどうしても必要になるが、その点で世界が大きく期待するようになったのが CO_2 フリー水素である。CO_2 フリー水素は、再生可能エネルギーを活用した水電解の「グリーン水素」、化石燃料から水素を作り、その時発生する CO_2 を貯留・活用することで製造する「ブルー水素」、原子力発電で製造する「イエロー水素」など、多様な製造法が存在し、各国がそれぞれの資源や技術に応じて CO_2 フリー水素の製造・供給チェーンの構築・需要開拓と拡大に取り組んでいる。しかし、水素の大量導入と利活用の拡大には、大幅なコスト削減やインフラ整備を始め、導入のための適切な市場設計など、課題は山積している。その意味で、まさに水素は、脱炭素化の実現に向けた重要なイノベーションとして期待されているのである。

また、こうした取り組みを最大限進めても、どうしても、化石燃料消費が残存する分野があり、そこから排出される CO_2 などを相殺して、実質ゼロにするためには、森林吸収の拡大だけでなく、いわゆる「ネガティブエミッション技術」が必要になる。大気中のCO_2を直接回収して貯留・利用する「DACCS」技術やバイオマス発電で排出されるCO_2を回収・貯留する「BECCS」技術がそれに該当する。これらもまた、現時点では商業化・実用化からは遠く離れた技術であり、要するにイノベーションが必要なのである。

世界が脱炭素化・カーボンニュートラル実現に向けて、その取り組みを加速化していくには、エネルギー需給構造とそれを支えるエネルギーシステム・インフラを根本的・革命的に変革していくことが必要である。そのためには、上述したような基本的な「処方箋」を徹底的に追求すると共に、革新的な先進技術・イノベーションを推進し、実用化・社会実装しなければならない。

これを実現する脱炭素化に向けた「エネルギー転換（Energy Transition）」を遂行することで、技術進歩が加速し、それを通して、新しい成長産業が飛躍的に発展し、転換の中で衰退・退潮する産業を補うことで、正味で経済成長が加速し、雇用も増加し、かつ気候変動が防止できるという「明るい将来像」に期待することもできる。

他方で、世界の現実を見ると、このエネルギー転換の中で、エネルギーコストが上昇し、市民生活や経済活動への負担となり、経済成長や雇用に負の影響が出るのではないか、との懸念も現実に存在している。特に発展途上国や新興国においては、エネルギーコストの上昇は先進国より大きな影響を及ぼす可能性もあり、より深刻な問題となりうる。そして、その結果、先進国と途上国の間の格差が一層拡大することなども懸念されるようになっている。

この点から、元々、途上国の立場から見れば、温暖化は先に成長を果たした先進国が何の制約もなく化石燃料を大量に消費し、CO_2を大量に排出して現在の豊かな立場を獲得したにもかかわらず、途上国・新興国がこれから成長・発展を果たそうという時に、化石燃料消費に制約を掛けようとするのは公平でないという不満が存在する。いわば、気候変動問題に関する「先進国責任論」であり、この不満から、気候変動問題に関しては、南北対立が生じやすくなっている。先進国側が、途上国・新興国に対して、脱炭素化・カーボンニュートラルへの取り組みを押し付けるような形になれば、「先進国責任論」に基づく、南北対立が激化しやすくなる。

本来的に、地球規模の問題である気候変動問題については、「地球益」を追求するための国際協力が重要であるが、脱炭素化・カーボンニュートラルに向かう取り組みを誤ると、かえって対立関係が生じ、特に南北対立の激化を招くことで地球益追求が困難になることも懸念される。その意味では、脱炭素化・カーボンニュートラルの追求に当たっても、それぞれの国情を踏まえつつ、着実に合理的にエネルギー転換を進めていく、包括的なアプローチが重要となろう。また、それを通して、最終的な脱炭素目標の実現に至る移行コストを最小化するための工夫をそれぞれが追求することが重要となる。移行の過程を重視する考えでもあり、それぞれの国の国情や事情に応じた、コスト最小化を図る道でもある。

もう一つ、脱炭素化・カーボンニュートラルに向かう際の留意事項、エネルギー安全保障問題との関係について論じたい。脱炭素化に向かうエネルギー転換において、再生可能エネルギーが極めて大きな役割を果たすことが期待されていることは既に述べた。再生可能エネルギーが基本的に国産エネルギーで、分散型のエネルギーでもあることから、これがエネルギー供給の中心になれば、伝統的な化石燃料に関わるエネルギー安全保障問題は存在しなくなる、あるいは極小化されることになり、基本的にカーボンニュートラルの世界ではエネルギー安全保障問題は相対的にそれほど重要でなくなる、といった期待・見解も存在しているように思われる。

しかし、実際には、カーボンニュートラルに向かう世界・道程では、エネルギー安全保障問題は複雑化し、重層的な問題となる、と筆者は見る。第1に、カーボンニュートラルは容易ならざる挑戦であり、その実現には実際には相当の長期間を要する。その長きにわたる移行期間の間、化石燃料は重要な役割を果たし続け、その間は化石燃料の安定供給を中心にしたエネルギー安全保障問題は重要性を失わない。第2に、カーボンニュートラル実現には電力化の推進がカギを握るが、その場合、電力の安定供給、あるいは電力供給セキュリティが重大問題となる。一方、今後の電力市場では、サイバー攻撃によるリスク、自然変動型の再生可能エネルギーの拡大による需給不安定化、電力市場自由化の影響による供給力・供給余力の不足など、様々な問題がある。第3に、再生可能エネルギーと電力化を推進し、カーボンニュートラルを目指す際には、そのためにどうしても必要不可欠となるレアアースを始めとする稀少鉱物の安定供給確保が必須となる。これは新たなエネルギー安全保障問題となる。第4に、カーボンニュートラルに向かう世界ではエネルギーコストの上昇が予想され、それが経済安全保障や産業競争力上の課題になりうるという点もある。特に、第1と第4の課題は、現在進行中のウクライナ危機において顕在化している問題と考え合わせれば、決して無視しえない重要な問題になると言える。

このように、世界がカーボンニュートラルに向かう取り組みを進めていく中では、様々な課題を克服していくことが求められるのである。

3　脱炭素化からウクライナ危機へ、大きく変化した問題関心

こうして、2021年11月のCOP26における「グラスゴー気候合意」に向けて、世界の脱炭素化への取り組みの潮流は加速化していき、この間、世界のエネルギー政策及びエネルギー産業関係者にとって、より広くは国際社会全体にとって、カーボンニュートラルへの対応がエネルギー問題の中心課題であった。逆に言えば、カーボンニュートラル関係以外のエネルギーに関わる問題はこの間は矮小化《わいしょうか》されていたともいえる。

しかし、この傾向には2021年の後半に変化が生じ始めた。2021年初から徐々に続いてきたエネルギー価格の上昇が、年後半に入っていよいよ本格化し、特に秋以降は同時多発的なエネルギー価格高騰の問題が世界の耳目を集め始めたからである。

市民生活や経済活動に必要不可欠の物資であるエネルギーの価格が全てのエネルギー源において上昇し、その背景には様々な需給逼迫《ひっぱく》要因と地政学リスク要因が存在することが意識され、途上国はもとより、先進国においても、喫緊の社会・経済問題としてエネルギー価格高騰に対応せざるを得なくなったのである。

その象徴的な出来事は、2021年10月に、EUがいち早く、エネルギー価格高騰に対

応して、低所得者層向けを中心に、エネルギー代金の補助制度等からなる対応策を発表したことである。EUでは、原油価格だけでなくガス価格や電力価格の上昇が著しく、エネルギー問題が一気に社会問題化した。だからこそ、EUとしてこれを放置することができず、価格高騰対策を実施することになったのである。EUの対応を睨《にら》みつつ、日本でも同様にガソリンへの補助制度が導入され、その後、補助額の拡大など対策強化が続けられることになった。米国では連邦規模での補助制度は導入されていないが、ガソリン価格の高騰に直面し、それが政権支持率のさらなる低下につながることを恐れたバイデン政権が、OPECプラスへの増産要請という「政治的介入アプローチ」を取らせることにつながった。そして産油国が追加増産を実施しないと見るや、異例ともいえる価格引き下げ目的での戦略石油備蓄放出に打って出ることを決定、日本・韓国・中国・インド・英国への協力を要請して、米国主導の協調備蓄放出を実施した。これらは、まさに先進国が、エネルギー価格問題への関与・介入を強める異例の取り組みであり、エネルギー価格高騰問題が日米欧にとって、取り組むべき重要課題として浮上していたことを示唆している。

さらに、世界の問題認識に重大な変化をもたらしたのは、言うまでもなくウクライナ危機である。2021年終盤にかけて、ロシアによるウクライナ侵攻の可能性が懸念され始め、この問題の重要性が一気に高まった。この地政学的な緊張の著しい高まりで、ウクライナ情勢が世界のニュースのヘッドラインを独占し、国際政治・安全保障・世界経済における喫緊の最重要課題となったのである。

2022年2月24日に、ロシアが実際にウクライナに侵攻を開始し、ウクライナ危機が戦争として展開し始めると、ウクライナでの戦況、ウクライナでの犠牲者や難民発生の動向、ロシアの国際社会に対する強硬な姿勢、それに対峙する欧米を中心とした国際社会の厳しい非難と対露経済制裁の強化、等の展開が世界の重大関心事として圧倒的な注目を集めることとなった。また、その中で、エネルギー価格が一気に高騰し、需給が不安定化、今後のロシアのエネルギー供給における支障・途絶の発生如何《いかん》によって、さらなる高騰と不安定化の懸念が高まり、エネルギー安定供給の確保とエネルギー安全保障問題が、脚光を浴びることとなった。

こうして、2021年前半まではカーボンニュートラル対応一色に染まっていた世界のエネルギー問題に関する関心は、大きく様変わりし、喫緊の最重要課題であるウクライナ危機とそれに対応したエネルギー安全保障問題に向くことになったのである。

しかし、世界の重大関心がシフトした中でも、気候変動問題が消滅したわけでも、その重要性そのものが失われたわけでもない。気候変動問題は何の変わりもなく、地球規模の重大問題であり続けており、気候変動に対応するための脱炭素化への取り組みが行われなくなったわけでもない。喫緊の重大課題であるウクライナ危機とそれに伴うエネルギー安全保障問題の重要性に現時点では世界の耳目が集中しているということである。

その中で、同時に、このウクライナ危機が、そしてその結果として生じてきた、エネルギー安定供給確保及びエネルギー安全保障の重視が、脱炭素化の取り組みに影響を及ぼすのか否か、及ぼすとすればどのような影響なのか、ウクライナ危機は脱炭素化への取り組みを阻害するものなのか、促進するものなのか、という問題関心が生じている。以下では、この問題関心・問いに「答え」を用意すべく、短期的な問題、中長期的な問題、世界の様々な多様性に関連した問題などに分けて、論ずることとする。

4 「有事」対応によるCO_2排出への影響

ウクライナ危機による世界の脱炭素化への取り組みに対する影響について、まず短期的な問題、特にウクライナ危機がエネルギー安定供給を損なう深刻なエネルギー供給途絶に発展するような「有事」の場合を中心に考えてみたい。

今後、何らかの理由で、ロシアのエネルギー供給に重大な支障・途絶が発生したり、ロシア産のエネルギーを急速に代替していく必要が発生したりした場合、特にそれが「有事」として展開すれば、世界は、とりわけロシアにエネルギー供給を大きく依存している欧州は、有事対応として、ありとあらゆるオプションを利用して、自らのエネルギー安定供給確保を図ることが想定される。自国の市民の生活を守り、経済活動を維持するため、おそらく最大限のエネルギー節減（省エネルギーというよりは消費抑制）が図られたうえで、低下するロシアからのエネルギー供給を代替するため、それぞれに利用可能なオプションの全てが活用される。そこには、石炭火力発電、石油火力発電を始め、余剰能力として存在しているものが全て含まれることになろう。現在、欧州では、再生可能エネルギーの推進が重視されており、実際にこれから再生可能エネルギーの供給能力は拡大していこう。しかし短期的に、有事の際には「今後の供給拡大」では間に合わない。現時点で利用できる能力・燃料が重要である。従って、石炭火力も含む全ての現時点での設備・能力が活用されるものと思われる。

有事の際にこうした対応が取られることは、日本における東日本大震災・福島原発事故の直後の対応を考えても明らかである。当時、日本でも深刻な大停電を回避するため、徹底的な節電を実施した上、脱落した原子力発電やその他の発電能力を補うため、石炭火力発電をフル稼働し、余力が多く存在したガス火力発電を大量に導入し、さらには老朽化してほぼリタイア状況に近かったような石油火力発電所も利用して、必死の対応を行った。振り返ってみると、日本では必死の対応の結果、大規模な停電は回避できたが、火力発電の増加によってCO_2排出が大幅に増加し、電力コストが大きく上昇し、エネルギー自給率が低下するなどの「副作用」が発生した。しかし、有事においてはこれ以外の対応は無かったのである。

ウクライナ危機での有事の場合、特に欧州でも同様の対応、利用可能なオプションは全て使う、ということが起こる可能性は大である。その時、CO_2排出に関して言えば、景気悪化によるエネルギー需要低下と節電などエネルギー節減による排出低下と、石炭火力などの利用による排出増加のどちらが大きく寄与するかによって、排出の多寡が左右されることになる。しかし、少なくともエネルギーミックスの観点においては、CO_2排出増の方向に向かい、脱炭素化にとっては逆方向に進むことになる。

また、エネルギー安定供給確保が最重要課題になり、エネルギー安全保障を重視する流れが世界全体で、短期的にどのような影響を及ぼすかについても、やはり同様に、各国の状況に応じて、利用可能なオプションのうち、少しでもエネルギー安定供給に貢献し、少しでもエネルギーコストの上昇を抑制する方向に役立つものが志向・選択される可能性が高いと思われる。その点、化石燃料の中では最もCO_2排出が相対的に低いガスの価格上昇が最も著しい点に留意が必要である。また、今後の供給支障発生の場合の市場不安定化の度合いもガスの場合が一番深刻になりうる。そのため、ガスから他の化石燃料へのシフトが発生しやすくなる素地が生まれており、それが短期的には全体としてのCO_2排出を増加させる要因となりうる。もちろん、これも、今後の世界経済の停滞によるエネルギー需要の鈍化がもたらしうるCO_2排出の低下との比較において検討する必要がある。いずれにせよ、有事対応も含めた短期的な市場へのインパクトを検討すると、ウクライナ危機はエネルギーミックスにおいては脱炭素化と逆方向に影響を及ぼす可能性があると言えるだろう。

5　中長期戦略としての気候変動対策への影響

ウクライナ危機による脱炭素化への取り組みに関する中長期的な影響は、ある意味で短期的な影響に比べて、より複雑なものになる。

第1に、ウクライナ危機は、非化石エネルギー推進の加速化、という点において脱炭素化を促進する方向で確実に力を働かせることになると思われる。ウクライナ危機で最も深刻なエネルギー安定供給上のリスクに晒《さら》される欧州の事例を見れば明らかである。EUが発表している脱ロシアエネルギー計画である「リパワーEU計画」では、その重要な骨子が、再生可能エネルギーと省エネルギーのさらなる加速化である。もともと、EUは2030年のGHG排出削減55％を達成するため、「Fit for 55」という計画を有し、そこで再生可能エネルギー・省エネルギー推進を政策の中心としていた。ウクライナ危機に直面したEUは2030年（からの前倒しも含め）までにロシアの天然ガス輸入依存から脱却するため、再生可能エネルギーと省エネルギーのさらなる強化を明確に謳《うた》っているのである。EUでは、再生可能エネルギーと省エネルギーに加えて、電力化の推進・水素の利活用拡大などもエネルギー安全保障対策として重視される方向が明確化している。これもまた、脱炭素化推進とその方向において軌を一にした取り組みである。

また、欧州では、ウクライナ危機とエネルギー価格高騰に対応して、原子力発電の利活用にも新たな脚光が当たっている。フランスや英国では、新規の原子力発電所建設計画が発表され、その動きは東欧諸国などにさらに広がる可能性もある。これらはいずれもエネルギー安全保障強化のために取られる政策ではあるが、同時に気候変動対策にもそのまま貢献するものである。従って、この取り組みが実現し、成果を上げていくならば、脱炭素化への取り組みが今まで以上に加速化することになる。

この点は、世界の多くの国においても、基本的に共通して見られていく可能性が高い。エネルギー価格の高騰は省エネルギー促進の重要性を高めることになり、重要なエネルギー安全保障政策として実施され、それが気候変動対策としても奏功する。また、再生可能エネルギーについても基本的には国産エネルギーとして、分散型エネルギーとして、さらにはゼロエミッションエネルギーとして、ウクライナ危機後のエネルギーミックスにおける重要性を増すべく、取り組み強化が図られていくものと思われる。

また、原子力については、欧州での取り組み強化に世界の関心が高まっており、原子力への関心の回帰が見られている。この点では、小型モジュール炉（SMR）といった新型炉などの革新技術への期待の高まりにも注目していく必要がある。日本では、原子力における課題は福島事故後、まさに山積の状況にあるが、原子力再稼働問題を中心に原子力への関心が高まる状況にある。

こうして、ウクライナ危機とエネルギー安全保障問題への関心の高まりは、世界全体で見ても中長期的に非化石エネルギーの推進という点において、脱炭素化への取り組みを加速する方向での作用を持つことになろう。

しかし、ウクライナ危機とエネルギー安全保障の重視は、上記とは別に、異なる方向での力を働かせる可能性も秘めている。第1には、ウクライナ危機において明確になったのは、化石燃料の重要性であり、その需給・価格の安定が全ての国にとって極めて重要である点であろう。もちろん、化石燃料の価格高騰と市場不安定化に直面し、だからこそ一刻も早い化石燃料からの脱却を声高に主張する声も出てくるだろう。しかし、冷徹なリアリズムの目で見れば、化石燃料からの脱却は容易ではなく、EUでさえもロシア産の化石燃料依存脱却は政策目標としているものの、その一部は、非ロシアからの化石燃料の代替調達で実施する計画である。当然のことながら、その代替供給源を確保するためには、世界市場全体で見て、適切な上流から下流に至る供給チェーンへの投資が必要になる。そして、脱炭素化への移行期間が極めて長期にわたる可能性を考えれば、化石燃料市場の安定化のための取り組み（適切な投資確保を含む）が必須である。この場合、化石燃料そのものを脱炭素化し、ブルー水素やブルーアンモニアの利活用拡大を促進していけば、化石燃料利用と脱炭素化の取り組みが整合していくことにもなる。

第2の注目点は、エネルギー安全保障重視の流れは、エネルギー自給率向上の重視となり、それが国産エネルギーの重視となる点である。もちろん、先述した、省エネルギーの推進や再生可能エネルギーの拡大、原子力の利活用はいずれも自給率向上にも資することになり、国産エネルギーの推進ということにもなる。しかし世界には、化石燃料を豊富に国産エネルギーとして保有する国も多数ある。その時、中長期的な視点において、エネルギー安全保障が重視される趨勢《すうせい》の下では、非化石エネルギーだけでなく、自国に豊富に賦存し、コスト競争力のある化石燃料については、生産拡大や利用拡大を図る動きが出てきても不思議ではない。特にこの点は新興国・途上国であれば、なおさら当てはまるものと思われ、実際、中国の第14次5カ年計画でエネルギー分野の目標を見ると、石油・ガス・石炭のいずれも国産拡大・維持の方針が示されている。

また、さらに要注目なのは米国の動向であろう。バイデン政権においては、エネルギー関連分野では、気候変動対策が最重視され、化石燃料に対してはどちらかと言えば、冷たい視線が送られてきた。しかし、ウクライナ危機とエネルギー市場の不安定化に直面し、バイデン政権も、米国にとって過去10年以上にわたって継続してきたシェール革命による石油・ガスの大増産の効果が如何《いか》に大きかったか、そして米国産のエネルギー、例えば米国LNGが同盟国である欧州などのエネルギー対策にとって如何に重要であるのかを十分に再認識することとなった。バイデン政権の気候変動重視そのものは不変であろうが、化石燃料問題について、新たな重要性を付与していく可能性が考えられる。また、2022年の中間選挙の結果や、2年後の大統領選挙の結果次第では、米国の気候変動や化石燃料に対する方針が大きく動く可能性もある。

第3に、注目すべきなのは、エネルギー安定供給問題が重要になる中で、エネルギーコストの上昇が世界に対して持つ影響が大きいことが改めて認識できたことである。エネルギーコスト上昇に敏感に反応するのは、相対的に所得水準が低い発展途上国・新興国だけではない。今回の事象においては、欧州・米国・日本のような先進国においてさえも、社会・経済がエネルギーコスト上昇にセンシティブであるということであった。その点、これから進められようとする脱炭素化への取り組みがエネルギーコストの上昇を伴うものであるとすると、それが市民や社会にどのような影響を及ぼすか、注視していく必要がある。特に、ウクライナ危機によって、世界経済のダウンサイドリスクが顕在化している中、景気低迷・後退とエネルギーコスト上昇がダブルパンチとなるような場合、脱炭素化への取り組みにどのような影響が生じていくのかは、先進国も含め世界全体で注目していくことが求められる。

こうしてみると、ウクライナ危機とそれに伴うエネルギー安全保障重視の流れは、世界の脱炭素化への取り組みに対して、一様ではなく、多様で複雑な影響を及ぼしていく可能性が考えられる。

時間軸で見れば、短期的な影響と中長期的な影響で方向性が様々異なる可能性がある。また、中長期的な影響に関しても、非化石エネルギー推進の流れと共に、化石燃料の位置づけを巡る多様な可能性が考えられる。その多様性は、先進国と途上国で、また各国の資源賦存の状況や技術・経済力の状況で、各国のリーダーシップの選択も含めた国情そのもので、またエネルギー価格上昇に対する敏感度などで、左右されることが考えられる。その結果、世界的に脱炭素化の取り組みそのものはウクライナ危機を経ても前進していくものの、その進展の状況は、上述の多様性に左右され、「まだら模様」の展開となっていくことも考えられるのである。ウクライナ危機とエネルギー安全保障の重視が気候変動問題にどのような影響を及ぼしていくのか、今後もその行方に注視していくことが重要である。

第5章
国際エネルギー秩序の現状と課題

序章において論じた通り、国際エネルギー市場の安定を維持・強化することはエネルギー地政学の観点においても、エネルギー安全保障の観点においても、極めて重要な課題である。国際エネルギー秩序とは、まさに国際エネルギー市場の安定やエネルギー安全保障を守るための「統治・管理」であり、そのためのメカニズム・仕組みや機能のことを包含する概念である。

国際エネルギー市場の安定を保つことによって、そこから重要な効用を得られる。国際エネルギー秩序のための統治・管理は、支配・パワーと密接に結びつく。期待される効用と同時に秩序の維持・管理にはコストも必要であり、課題も生まれる。その中で国際エネルギー情勢の歴史を見ると、様々な形式・やり方での国際エネルギー秩序維持のための取り組みが行われてきた。その歴史から教訓を得て、今日のウクライナ危機によって激動する国際エネルギー情勢や不透明感を増す将来への対応を考えることは重要である。

以上の認識に基づき、本章では、まず国際エネルギー秩序の重要性を再確認した上で、国際石油市場の安定化を巡る取り組みの歴史を、余剰生産能力管理の観点で振り返ることにする。次いで、国際エネルギー秩序の維持が、エネルギー安全保障への影響を通して、支配・パワーの源泉となってきた歴史・経緯・変化を考察する。そして、最後に現在のウクライナ危機と将来を睨《にら》んで国際エネルギー秩序の課題を整理することとしたい。

1　国際エネルギー秩序の重要性

本書において、ここまで論じてきた通り、エネルギーは私たち一人一人にとって、身近で必要不可欠の物資・財であるという性質を持つが、同時に、エネルギーに関連する問題は優れて国際問題でもある。エネルギーと国際情勢の相互関係を「エネルギー地政学」と見なすこともできる。また、第3章で論じた通り、エネルギーと国際情勢の関連において、エネルギー安全保障問題は特に重要な問題となってきた。エネルギー安全保障を左右する「エネルギー危機」を引き起こす様々なリスク要因はまさに国際問題の中から発生する場合が多いのである。現在進行中のウクライナ危機がまさにその象徴的な事例である。

この状況において、国際エネルギー市場の安定を維持・強化し、エネルギー安全保障を守ることが重要であることは明らかであり、そのための統治・管理とその実行のためのメカニズム・仕組みや機能を意味する国際エネルギー秩序が重要であることは言を俟《ま》たない。

逆に言えば、国際エネルギー市場は常に不安定化のリスクに晒《さら》され続けてきたため、それをどう回避し、防止するかという取り組みが不断に行われ続けてきた歴史として、国際エネルギー秩序の問題を眺めることもできる。その際、不安定化という場合には大別して2つの方向での不安定化に対応した取り組みがあることになる。

国際エネルギー市場の不安定化によってエネルギー価格は乱高下するが、行き過ぎた価格変動は常にエネルギー市場を取り巻く関係者・ステークホルダーにとって重大な問題を引き起こす。ウクライナ危機を契機にした国際エネルギー市場の不安定化においては、基本的に需給逼迫《ひっぱく》と価格高騰の問題がエネルギー安全保障上の脅威として世界の問題になっている。他方で、そのわずか2年程前には、コロナ禍による甚大な影響の発生で国際エネルギー市場は未曽有《みぞう》の供給過剰に見舞われ、原油先物価格がマイナスの値を取るなど、極端な低価格に苦しむことになった（図5－1）。前述したように、この供給過剰と著しい低価格から脱却するために取られた対応策の中心がOPECプラスによる史上最大規模の協調減産であったことは記憶に新しい。この減産の効果とコロナ禍からの緩やかな回復が、国際石油市場の需給のリバランスをもたらし、原油価格を反転させ、下支えし、徐々に価格を上昇させてきた原動力となったのである。

このようにして見ると、市場の不安定化が発生するとき、国際エネルギー秩序のメカニズムには、行き過ぎた高価格を是正し、市場安定化に向かう力を働かせるものもあれば、

図5-1　2019年以降の原油価格

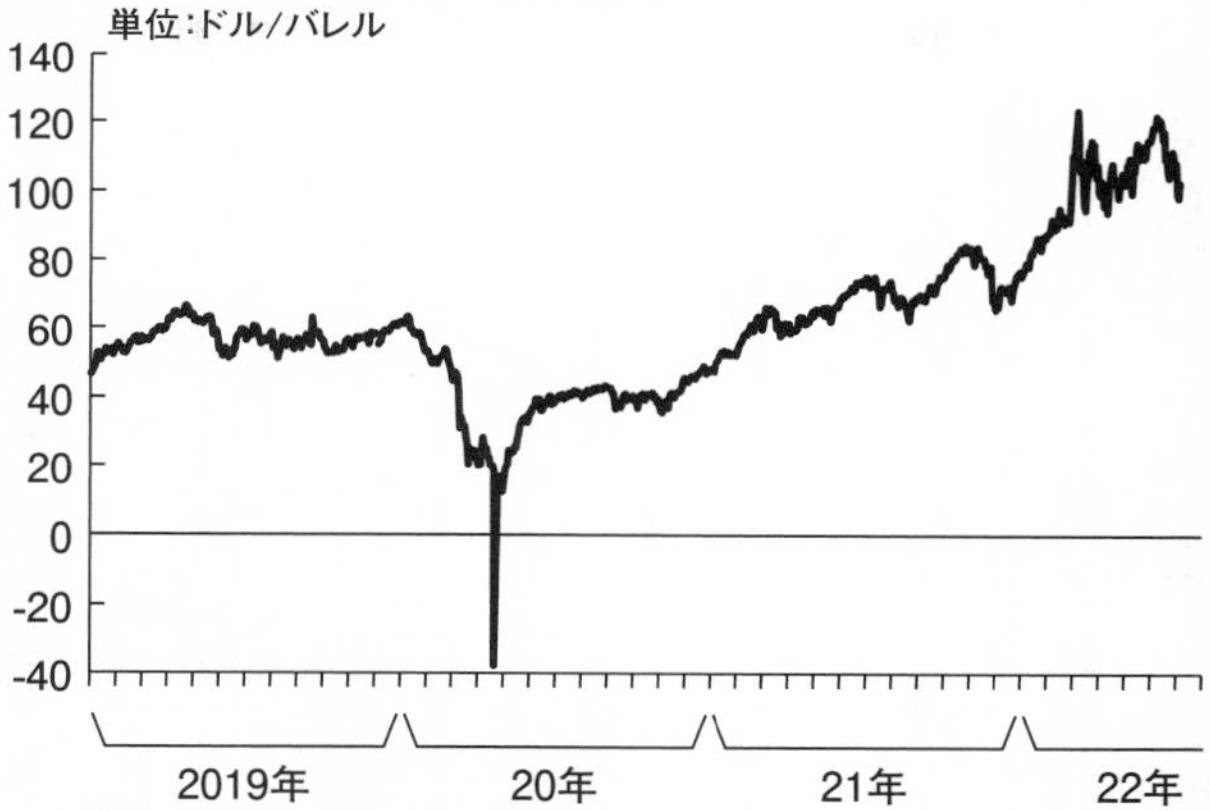

（出所）NYMEX資料等より筆者作成

逆に行き過ぎた低価格を立て直し、需給均衡と安定化を図る力を作用させるものもあり、両者が共に重要であることが分かる。

国際エネルギー市場では、これまで、行き過ぎた高価格も低価格も共に何度も顕在化し、それが世界に、国際政治に、地政学に、世界経済に、そして国際エネルギー市場そのものに様々な悪影響を及ぼしてきたのである。従って、その悪影響を回避し、防止し、最小化することが、国際エネルギー秩序の重要な効用の一つ、ということになる。

次節において、国際石油市場における余剰石油生産能力管理の歴史を通して、市場安定化のための様々な取り組みを国際エネルギー秩序の重要な事例として取り上げるが、筆者の見るところ、この安定化の取り組みの根本的な狙い・目的は、行き過ぎた石油価格の低下を如何《いか》に抑制するかというものであったように思われる。この取り組みは、基本的に国際石油産業による取り組みであって、産業の観点から「秩序を維持する」という意味において、最大の脅威は価格の暴落とそれによる甚大な負の影響である。その負の影響を回避・防止・抑制することが守るべき秩序の第一に位置づけられるのではないかと考えられるのである。

もちろん、石油産業の観点においても、行き過ぎた高価格が販売収入を増やすという点でプラスになるだけでなく、より長期的・戦略的視点から望ましくはなく、それを回避することも秩序として重要になることは大いにありうるだろう。ただし、あくまで筆者の見立てにおいては、石油産業としては優先順位として行き過ぎた低価格による不安定化への対応が相対的に重要となるのではないかということになる。

他方、市場不安定化の問題を、国家戦略あるいはエネルギー安全保障の観点から眺めると、市場の不安定化をコントロールすることが、その管理を行うものの「力」「パワー」「支配」の源泉になるという見方もできる。つまり、国際エネルギー秩序を管理する国家あるいは機能が世界の安定を左右し、かつ市場不安定化によって影響を被る国家への影響力を行使することで、「力」「パワー」を持つことになるということである。この問題については、第3節において主に論ずることとしたい。

こうして、国際エネルギー秩序の維持には、それを通しての効用・効果が存在していることが分かる。効用・効果が存在しているのならば、それは常に十全に機能し続けるのか、と言えば、必ずしもそうではない。秩序を維持する対象である、国際エネルギー市場の需給環境、地政学情勢などは変化を続けているからであり、その変化に対応した秩序維持・管理が求められるからである。また、さらに本質的な問題は、秩序の維持はそのためのコストの負担が必要である、という点になる。何事にも「フリーランチ」はなく、効用・効果が期待できる国際エネルギー秩序の管理主体者にとっては、常に相応の（時には相当な水準の）コスト負担が発生することになる。それゆえ、国際エネルギー市場を振り返ってみると、この秩序維持の機能・メカニズムは様々な変遷を辿り、現在に至っているのである。以下ではその重要なポイントを整理してみたい。

2　余剰生産能力管理の歴史と国際石油市場の秩序・安定維持

本節では、国際エネルギー秩序の維持・管理の取り組みの具体例を、国際石油市場の安定のための様々な機能・メカニズムの考案と具体的発揮・発動を概説することで明らかにしていきたい。前述した通り、この取り組みはある意味では「国際石油産業」としての取り組みの発展の歴史である。

近代的な石油産業が誕生し、発展し始めたのは19世紀後半であり、その中心的舞台は米国であった。石油はその優れた利便性・競争力の故に米国で、そして世界で市場を拡大し、それを支える石油生産も拡大を続けた。多数の油田開発業者が参入し、石油産業は全体として発展を続けたが、時に無秩序な油田開発なども頻発し、米国内での大規模な油田開発が進められる中、原油価格が乱高下を続ける状況が顕在化していた。

この石油産業発展の初期の頃からの特徴となっていた原油価格の乱高下は、石油産業にとっては大きな課題であった。行き過ぎた低価格は油田の放棄による資源の浪費につながり、投資不足をもたらすことで次の価格高騰の原因となってしまう。安定的な事業・ビジネスを実現し、石油産業が健全に発展するためには価格乱高下、とりわけ価格暴落を抑制していく必要があるとの認識が存在するようになった。

この問題意識で、石油市場の秩序の維持、安定化を図り、具体的な取り組みを行ったのがスタンダード石油である。創始者であるジョン・ロックフェラーの下で同社は精製部門

（製油所）の統合を進め、一時は米国の精製能力の9割を支配下に置くなど強力な市場支配力を手に入れた。それを通して、石油上流（開発・生産）部門も含めた市場秩序の維持を図り、一時代を画することとなった。しかし、1911年にはスタンダード石油は反トラスト（市場の独占を図るトラスト・企業合同を制限または禁止すること）の流れが強まる中で連邦最高裁判所から解体命令が出され、分割されることとなった。分割された会社の中から、現在の石油メジャーが生まれている。

スタンダード石油の試みは、石油産業発展の当初から、この産業にとって現在に至るまで常に問題となり続けてきている余剰生産能力を如何に管理するか、という問題への対処の嚆矢《こうし》であった。以下で説明する様々な取り組みは、いずれも余剰生産能力管理の試みであり、その歴史が国際石油産業による市場秩序維持の歴史そのものでもある。

次の事例として取り上げるのは、1928年に当時の主力国際石油メジャー3社による石油の生産、販売、輸出協定として、英国のアクナキャリーで締結された「アクナキャリー協定」である。激化した販売競争とそれによる価格低下を回避するため、現状維持を申し合わせる協定となり、「現状維持協定」と呼ばれることもあった。これも国際石油市場における余剰能力管理のための取り組みの一つである。

また、国際市場での生産、販売、輸出に関する取り決めであったアクナキャリー協定に対して、テキサス州内の油田の生産割当を生産量の許容を定める形で実施したのがテキサス鉄道委員会である。このテキサス州の行政機関は、鉄道に関する権限だけでなく、油田の許容生産量や油田の間隔などについても規制権限を有していた。1920年代になるとテキサスで大油田が発見され、供給過剰から原油価格が暴落する状況が顕在化した。この状況から州内の石油産業を守るため、同委員会が許容生産量を定め、規制を実施したのである。なお、このテキサス鉄道委員会による油田の生産割当・調整は、のちにOPECによる国別生産割当のモデルになったとも言われている。

また、余剰能力管理の歴史の中で、最も注目されたものの一つが、1960年代まで続いた石油メジャー各社(「セブンシスターズ」)による中東石油の「共同管理」である。第2次大戦後、中東の大油田開発が急速に進み、世界の石油供給の重心が米国から中東にシフトしていく中、この巨大な石油供給開発を「秩序」をもって遂行していくために取られた手段が上述の「共同管理」であった。セブンシスターズと称された巨大石油メジャー各社は、中東産油国各国での操業会社において、それぞれが複雑に権益に参加し、「相乗り」的な状況を作り上げていた。従って、各社は中東産油国各国で開発・生産の意思決定と実際の遂行に関して情報を共有し、利害を調整できるポジションにあった。この共同管理の下、世界の需要拡大に合わせて中東の石油開発が進められ、その結果、「共同管理」が機能し続けた1960年代は原油価格が極めて安定した時期となったのである。

しかし、「共同管理」の時代も終焉を迎えた。1960年代以降の資源ナショナリズムの高揚の下で産油国による現地事業会社への資本参加・国有化が進展すると同時に、世界の石油需給が逼迫し、1970年代の石油危機の時代を迎えることとなった。石油メジャーの支配力は産油国政府に取って代わられるようになり、国際石油市場での需給への影響力に関しては産油国が「運転席」に座ることになった。しかし、まさに、その状況下で逆に1980年代以降の石油需給緩和が発生した際には、価格下落防止のため、産油国が、そしてOPECが、減産・生産調整を行うことになった。

OPECが生産調整を行うことになったとはいえ、1980年代の前半において、実際に需給調整を行ったのはサウジアラビアであった。前述したように、サウジアラビアが単独で減産を通して生産調整を行う「スイングプロデューサー」役を果たしたのである。サウジアラビアの生産調整によって、実際に国際市場の原油価格は低下傾向を辿ったものの、暴落は回避されることとなった。しかし、その結果、サウジアラビアの石油生産量は激減

図5-2　サウジアラビアの石油生産量の推移

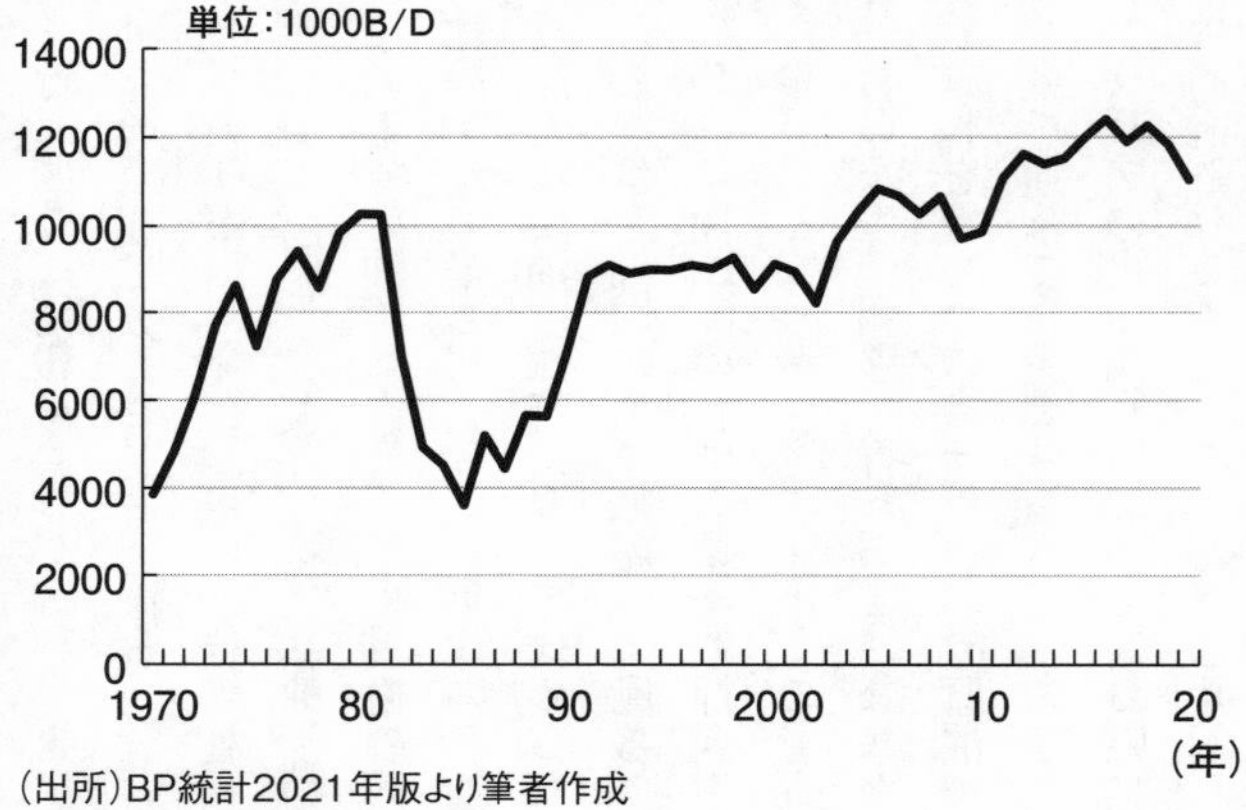

（出所）BP統計2021年版より筆者作成

し、1980年代初のピーク時の約1000万B／Dから1985年には一時的に200万B／D程度まで低下した（図5－2）。

そこでサウジアラビアは方針を転換し、増産に打って出たため、1986年から原油価格は暴落し、原油価格は10ドルを下回るまで低下した。この暴落から回復するため、再びOPECが全体として、国別生産枠に基づいて減産を実施するようになった。それ以降、現在に至るまで、OPECによる国別生産枠をベースとした生産調整が続けられている。

2000年代中盤以降の米国でのシェール革命の進展で、米国の石油生産が大幅に増加、急速に需給が緩和すると、2014

年後半以降、再び原油価格は急落局面を迎えた。2016年まで続いたこの低価格状況に対応するため、OPECに加えて、ロシアなどの一部の非OPEC産油国も加わるOPECプラスの産油国グループによる協調減産が始まった。OPECプラスによる協調減産は、コロナ禍による著しい供給過剰と原油価格暴落に対応して、2020年5月から史上最大規模の減産を実施し、それが原油価格の回復に重要な影響を及ぼすなど、需給調整役としての役割を果たしている。

このように、19世紀末から現在に至るまで、様々な取り組みによって国際石油市場の安定のため、国際石油産業の観点での働きかけが行われてきた。この取り組みは先に指摘したように、その最も重要な眼目は、行き過ぎた低価格とそれによる国際石油産業への悪影響を回避・防止・抑制するためのものである。なぜなら、行き過ぎた低価格が発生するリスクが問題なのは、国際石油市場には基本的に常に余剰生産能力が存在しているからであり、それを適切に管理しない限り、原油価格には低下圧力が働きやすいという傾向があるからである。

もちろん、国際石油産業の観点においても、行き過ぎた高価格も大問題となる。石油の需要を低下させ、世界経済を悪化させ、石油代替エネルギー開発を促進する、等の悪影響については国際石油産業も十分に認識しており、それへの対応が重要であることは理解されている。しかし、行き過ぎた低価格を回避するための余剰能力管理という側面が非常に重要であることも歴史が示しているように思われる。

なお、余剰能力の管理が重要である点に関連して、余剰能力の保持にはコストが掛かることも忘れてはならない。投資を実施して保持するに至った生産能力をフル稼働させず、意図的に生産抑制することで余剰能力が生まれる。余剰能力の維持はコストに他ならない面があり、現在、中東産油国、とりわけサウジアラビアが最大の余剰能力を保持しているのは、それが市場安定化に持つ戦略的な価値を十分に理解し、認識しているからである。

最後に、ウクライナ危機の状況について、余剰能力の問題という観点から考察をしてみたい。まさに、国際石油市場には余剰能力が存在しているということが他のエネルギー市場との違い・差異・特徴を生み出している。とりわけ、ガス・LNG市場の状況と比較するとその違いは明確であり、石油の場合は、サウジアラビアを中心に相当規模の余剰生産能力が存在しており、ロシアの石油供給途絶という「有事」に対応する能力が基本的には備わっているといえる。また、石油については消費国における備蓄も存在している。他方、ガス・LNG市場には、基本的に余剰能力はない。また、消費国にも、LNGについては、備蓄は極めて限定的にしか存在しない。だからこそ、ロシアの供給途絶がガスで発生した場合には、即時的な代替供給が困難で、市場の不安定化が一気に進むことになる。石油の場合の余剰能力の存在は、石油市場の安定という意味において重要な意味を持つのである。

3 国際エネルギー秩序とパワー

国際エネルギー秩序の維持を国家戦略の観点から見ると、石油産業にとっての市場安定化とは異なる視点が見えてくる。それは、国家などの戦略的意思決定主体から見て、国際エネルギー秩序を管理することは、エネルギー安全保障への影響を通して、世界への影響力を持つことであり、またエネルギー安全保障面での脆弱性《ぜいじゃくせい》に晒されている国家・主体への影響力を有することで、「力」「パワー」を揮《ふる》うことを意味するという視点である。

エネルギーが必要不可欠の物資であるため、その必要十分な量の入手や合理的で手頃な価格での確保が難しくなるエネルギー安全保障上の問題が発生・深刻化すると、それへの対応が国家戦略上極めて重要になり、国際エネルギー秩序が動揺する。その時に、エネルギー安全保障の問題解決に向けて市場安定化に寄与することで国際エネルギー秩序の動揺を抑え、秩序安定・維持を実現させることが出来る国・主体は、世界に対して、とりわけリスクに晒された国に対して影響力を行使することになる。

その点では、この「力」を揮い続けてきた中心は米国である。米国は世界最大の産油国として、そして余剰生産能力を保有する国家として、有事の際の最後の石油供給のラストリゾートであり続けてきた。2つの世界大戦に際して、同盟国における軍事用の石油需要が大きく増加した際などには、米国からの追加供給がそれを満たした。国際情勢の、あるいは国際エネルギー情勢の必要に応じて、米国が石油供給を拡大することが、エネルギー安全保障を、そして安全保障そのものを守る役割を果たしていたのである。その意味で米国は国際エネルギー秩序の守り手であった。

しかし、1960年代には、米国の石油生産は自国の需要増大に追いつかなくなり、ついに石油純輸入国化した。余剰能力を失い、純輸入国化した米国は、有事の際の内外のニーズに対応できる力を失ったのである。

その時に、米国に代わって石油生産の面で余剰能力を有することで国際エネルギー秩序維持の担い手になったのが中東産油国であった。米国は石油生産・輸出余力は喪失したものの、代わって大規模余剰能力を持つに至った中東産油国の体制を保護し、彼らの安全保障を守る役割を果たすことで、間接的には国際エネルギー秩序の維持に影響力を持ち続けることになった。なお、1970年代後半までは、中東における米国の最重要同盟国はシャーが支配するイランであった。しかし、その体制が転覆し、反米のイラン・イスラム共和国が成立すると、中東産油国における米国の最重要同盟国はサウジアラビアとなった。巨大な余剰生産能力を保有するサウジアラビアとそのサウジアラビアの体制と安全保障を守る米国は、「特別な関係」を築き上げ、両者の協力関係が国際エネルギー秩序の維持に重要な役割を果たしてきた。

米国が石油輸入国に転じ、余剰能力を失った後も、中東産油国との関係を通じて、米国は国際エネルギー秩序の維持に重要な役割を果たし、その点で「力」を持ち続けた。この点に関しては、米国による国際貿易財である石油の輸送安全の維持という面にも留意する必要がある。米国の軍事力が、石油輸送の大動脈であるシーレーンの安全通行やホルムズ海峡を始めとする「チョークポイント（交通・通行上の隘路《あいろ》）」の安全を守り続けてきたことが、世界の石油安定供給を担保する重要な役割を果たしてきた。その意味で、米国の国際エネルギー秩序維持における役割は巨大である。

しかし、その米国も、やはり直接的に石油の余剰生産能力を失い、さらに巨大な石油輸入国として輸入依存度の上昇に直面すると、自らのエネルギー安全保障上の脆弱性や国際エネルギー安全保障への影響力の陰りを意識せざるを得なくなった。その典型的な事例が、第1次石油危機による米国の指導力・影響力の低下である。アラブ石油禁輸によって先進石油消費国の連携は切り崩され、日本など他の先進国は産油国パワーの影響に左右されることになった。

逆に見れば、1970年代は、先進国のエネルギー安全保障上の脆弱性を突く形で、国際エネルギー秩序が激しく動揺し、その中で、産油国・OPECのパワーが絶頂に達した時期でもあった。日本などの石油消費国が、石油供給確保のため、「油乞い外交」を余儀なくされた時期であった。

そして、この情勢に対応して、石油消費国のエネルギー安全保障を強化する事で産油国のパワーに対抗し、消費国の連携を再構築するために1974年に創設されたのが国際エネルギー機関（IEA）である。その意味で、IEAは産油国パワーとその象徴であるOPECに対抗するため、消費国の利益を代表してエネルギー安全保障維持を目指し、国際エネルギー秩序を守るための国際機関なのである。そもそもIEAは第1次石油危機とアラブ禁輸で瓦解した消費国連携を目の当たりにする苦い経験を持った米国が、当時のキッシンジャー国務長官の主導で戦略的に創設を進めた経緯もある。IEAは先進国にとっての国際エネルギー秩序の苦難から生まれた組織とも言えよう。

こうして、消費国を代表するIEAと産油国を代表するOPECは、当初は基本的に対立構造に立たざるを得ない状況にあった。両者の利害が時として衝突することは避けがたく、特に原油価格が高騰し、需給逼迫と市場不安定化が進むときに、その原因を何に求めるのか（価格高騰の責任は誰にあるのか）、従ってその対応策をどうすべきか、などの点を巡ってIEAとOPECが激しく意見が対立することも見られてきた。

しかし、同時に、市場不安定化は両者にとって共にマイナスの面が大きく、行き過ぎた高価格と低価格は望ましくないという認識も共有されるようになり、相互理解と対話が重要視される機運も現れた。その結果、1992年には産消対話のための国際機関、国際エネルギーフォーラム（IEF）が設立され、今日に至るまで、IEAとOPECの対話の仲立ちなどの役割を担っている。その意味では、IEFも国際エネルギー秩序維持のための機能を果たす取り組みを続けているといって良い。

こうして、国家戦略あるいは国際機関などを通しての国際エネルギー秩序のための取り組みも様々な歴史・経緯を辿ってきた。その中で、一つ重要なポイントとして指摘したのが、かつては余剰能力管理の役割を果たしてきた米国がそれを失い、石油輸入依存度の上

図5-3　米国の石油・ガス生産の推移

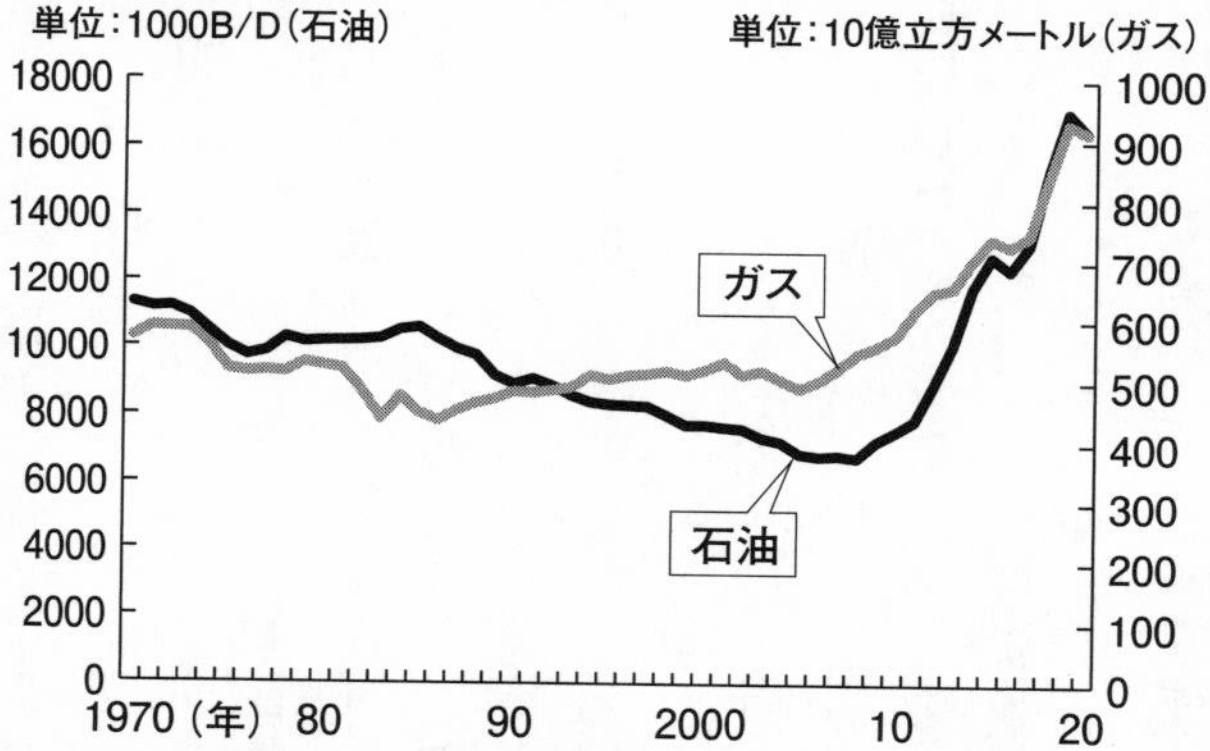

（出所）BP統計2021年版より筆者作成

昇に直面したことで、国際エネルギー秩序に大きな変化が出てきたことであった。しかし、その点において、2000年代中頃から注目すべき重大な変化が再び米国に生じていることを最後に指摘したい。それは、シェール革命の進行による米国の石油・ガス生産の劇的な拡大である（図5－3）。2006年には66%にまで上昇し、さらにその傾向が続くと見られていた米国の石油純輸入依存度は、シェール革命の効果で、低下を始め、2020年にはほぼ自給自足の状況に戻った。また、ガスの生産の劇的な拡大によって、米国はLNGの巨大輸出国に転じた。石油もLNGも、米国が余剰能力を持つような状況にはなっていないが、自給を達成し、輸出を行うようになった米国は、1970年代以来続いてきた「不足」に基づくエネルギー政策ではなく、「豊富」を活用するためのエネルギー政策に方向が転換している。これは、米国の国際エネルギー秩序維持のための取り組みに多大な影響を及ぼすことになる可能性が高い。実際、ウクライナ危機でロシアからのガス供給支障の可能性に直面する欧州諸国に対して、最も重要な代替供給源となっているのは米国のLNGである。米国LNGが無ければ、欧州のガス危機はもっと遥かに深刻であり、ロシアとの地政学関係も相当の影響を受ける可能性がある。米国バイデン政権自身が、米国の石油・ガス供給や輸出の戦略的重要性を再認識している蓋然性が高く、それが今後の国際エネルギー秩序に関わる問題に多様な影響を及ぼしていくことが考えられる。

ただし、シェール革命の成果で米国のエネルギー需給ポジションが変化したとはいえ、米国が国際エネルギー秩序維持のため、外交・軍事・安全保障等の面で実施してきた対応策に関しては、その巨大なコストをどう負担し続けるかという問題もある。「米国はもはや世界の警察官ではない」といった意見が米国のリーダーから表明される時代になり、国際秩序そのものや国際エネルギー秩序の維持のためのコスト負担の問題が極めて重要な課題になっている。コスト負担の重さから、その取り組みが低下することになれば、「力の真空」が生まれ、秩序の不安定化につながる恐れもあるのである。

本節の終わりに当たって、もう一つだけ論点を提示したい。今後の国際エネルギー秩序を考えていく上では、やはり中国の影響力をどう考えるかが極めて重要である。国際政治・安全保障・世界経済・国際エネルギー市場など多様な領域において、中国の影響力・存在感は極めて高い。その中国が、米国との対立関係を激化させ、ロシアとの戦略的連携を深め、中東など資源国への影響力を高めている。中国自身が、石油の余剰生産能力を保持することは考えられないが、巨大な消費国・輸入国、そして投資国として、国際エネルギー市場の安定に大きな影響を及ぼすことは間違いなく、市場の安定とエネルギー安全保障という観点において、中国と国際エネルギー秩序の関わりは今後の最重要課題の一つになることは必至であろう。

4　ウクライナ危機に見る国際エネルギー秩序の課題

ウクライナ危機とそれに伴うエネルギー安全保障問題への世界的な関心の高まりは、今日の国際エネルギー秩序に関わる最重要問題であることは間違いない。第3章で述べた通り、ウクライナ危機とエネルギー市場不安定化の状況は、第1次石油危機のそれと類似性・共通点を見出すことが可能である。発生した地政学事象としての、「戦争」と「制裁・禁輸」の組み合わせ、エネルギー情勢を巡る背景要因としての、危機前からの需給逼迫と価格高騰の存在及び特定供給源への高い依存状況の存在が類似性・共通点である。その結果、エネルギーの物理的不足の可能性が深刻に懸念され、それが当該国を中心にエネルギー安全保障政策を強力に推進することにつながっていることも共通点として見ることができる。

第1次石油危機は、国際エネルギー秩序を激しく動揺させ、その結果、様々な問題を発生させ、それへの対応策が生み出されてきた。国際エネルギー秩序の維持という面において、一つのターニングポイントになったとも考えられるのである。

その点を踏まえて、ウクライナ危機の問題を考えて見ると、以下のような重要なポイントが浮かび上がってくる。第1に、国際エネルギー秩序維持の最も重要な主役である米国がこの危機においてどのような役割を果たすかがやはり最大の重要性を持つ鍵となる。米国による外交・安全保障・経済分野における、対露政策、対ウクライナ政策、対欧州政策、対中国政策次第で、今後の危機の展開は大きく左右されるだろう。米国の国際エネルギー戦略そのものが国際エネルギー秩序を考える上で極めて重要である。シェール革命で米国はエネルギー自給をほぼ達成し、欧州へのLNG追加供給の中心となっている。この点は、自らが輸入依存に苦しんでいた第1次石油危機当時と事情が大きく変わっている。米国の石油・ガス供給が世界のエネルギー安全保障や同盟国のエネルギー安定供給に貢献するよう、地政学的・戦略的思考をもって米国が国際エネルギー秩序維持に貢献することが望まれる。

他方で、今回のウクライナ危機における複雑で深刻な問題への対応に当たって、米国の力にのみ依存するというわけにはいかない。エネルギー安全保障を守り、国際エネルギー秩序を維持するためには、国際社会の協調と連携が不可欠になる。もちろん、G7やEUでの連携、先進国や価値観を共有する主要国間での連携強化を最重視して追求していかねばならない。また、その中で、既存の国際エネルギー秩序維持の枠組みであるIEAが果たすべき役割も重要である。産消対話の重要性が高まる中、IEFの一層の機能にも期待したい。

しかし、こうした中でも状況は複雑であり、様々な課題が浮かび上がっている。国際協調・連携が必要であることは言うまでもないが、他方で、世界は、米中対立やウクライナ危機を経ての欧米とロシアの対立の激化、中国とロシアの戦略的連携強化等の国際情勢と地政学環境にある。欧米日など西側先進国などと、「現状変更勢力」とも位置づけられる中露などの陣営に分かれた世界的な地政学的緊張の高まりは、国際エネルギー秩序の不安定化につながる要因と考えるべきであろう。

また、中国も含め、インド、ＡＳＥＡＮ等のアジア新興国・発展途上国との協調・連携関係がどうなるかも重要な問題である。地政学情勢のみならず、ウクライナ危機に関連しては、対露経済制裁の効果を考える上でもこれらアジア消費国との連携は極めて重要となる。また、国際エネルギー秩序維持の観点では、重要なエネルギー供給源としての中東との関わり、主要な中東産油国やＬＮＧ産出国との連携も重要となる。この点では特に米国と中東との関わりが特に重要となり、現在、ややもすると、サウジ人ジャーナリストの殺害問題などに対する対応を巡り、ギクシャクしている米国・サウジアラビア関係の今後などからは目を離すことができない。２０２２年７月のバイデン大統領によるサウジアラビア訪問の成果も大いに注目される。

ウクライナ危機で動揺する国際エネルギー秩序の維持に関しては、国際協調のための体制をどう構築し、整備し、強化していくかが問われていく。複雑な国際情勢の下で、国際エネルギー秩序を守り、強化するため、各国でのエネルギー安全保障強化の取り組みを補完する国際協力を改めて推進し、既存の枠組みによる対応強化と共に、必要に応じて新情勢に対応する新たな取り組みの検討も含めた戦略的対応が求められていくことになろう。

第6章

国際エネルギー情勢を左右する地政学

――主要国の相互関係

エネルギー問題と国際情勢の相互関係をエネルギー地政学と見る時、その相互作用が全体として国際エネルギー情勢にどのように影響しているかという点と同時に、エネルギー地政学の主要なアクターの相互関係の一つ一つがエネルギー情勢にどのような影響を及ぼしているかという点で分析を行うことも重要である。

本書のここまでの論述は、主に前者すなわち、全体像としての考察・分析に相当するものである。そこで本章においては、まず今日の国際エネルギー情勢を左右する地政学（エネルギー地政学）を巡る全体像と相互関係の構造を示し、その後、そこで示した主要なアクターについて、米国・中国関係、米国・ロシア関係、欧州・ロシア関係、中国・ロシア関係など、順を追って相互関係の整理を試みる。その際には、それぞれ二国・地域間の相互関係と共に、特にウクライナ情勢における相互関係も特記する形で考察することとしたい。

1　世界のエネルギー地政学環境の全体像

国際エネルギー市場においては、個別のエネルギー源ごとに市場が存在・発達し、そこでの需要と供給のバランス、貿易や取引の状況に応じて、価格が決定し、資源国と消費国の間でエネルギー財と対価の交換が行われ、様々なアクターの間での競争や協力が展開されている。他方、国際エネルギー市場において主要な役割を果たすアクターとしての国家は、国際政治・安全保障・経済の分野でも相互関係を有しており、協力・協調・連携などの関係が見られると同時に対立・対抗・衝突などの関係も存在する。これらの関係が密接に、複雑に絡み合って、エネルギー地政学環境が成立することになる。

上記の意味で、エネルギー地政学の全体的な環境を描くことは容易でない。時々刻々と変化する世界情勢とエネルギー情勢の下で、エネルギー地政学環境は影響を受け、変化していくものであり、全体環境を構成する個別の主要アクター間の相互関係やエネルギー地政学情勢も変化していくからである。

しかし、現時点において、とりわけ、ウクライナ危機や米中対立構造等の世界の喫緊の重要課題を念頭において、世界のエネルギー地政学環境の全体構造の把握を試みることは本書の目的にとって、極めて有意義であると考えられる。

図6－1は、筆者によるその試みを表したものである。現在の世界のエネルギー地政学環境を考える上で、最も重要な底流となるのは、現在進行しつつあるウクライナ危機と、それが深刻化する前まで国際情勢において最も注目を集めてきた米中対立の2つである。そして、「エネルギー地政学」という観点で問題を捉えようとする場合には、筆者の見る

図6-1 最近の世界のエネルギー地政学環境の全体構造

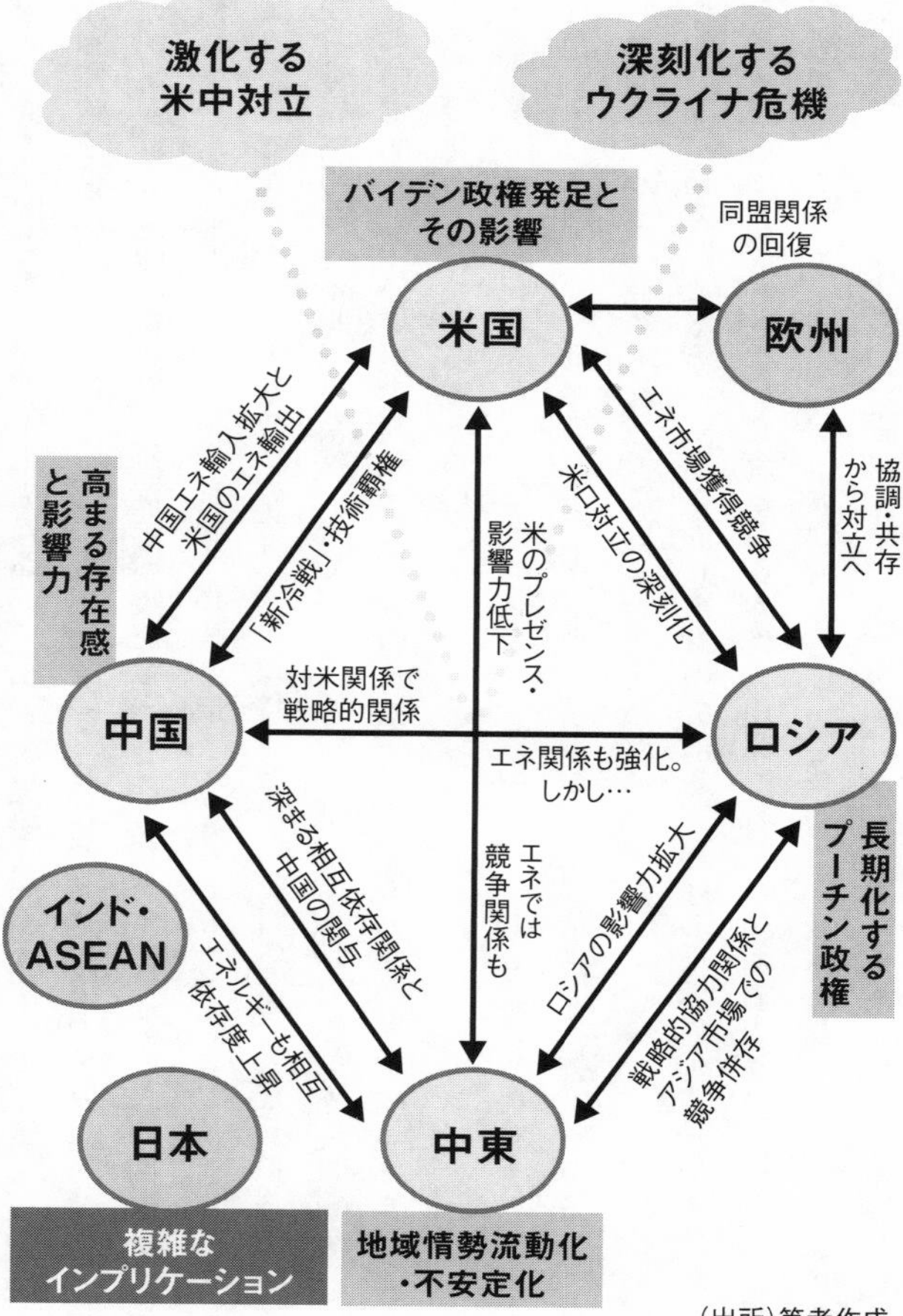

（出所）筆者作成

ところ、最も重要なアクター（国・地域）は、米国、中国、ロシア、中東の4つに整理できるものと思われる。もちろん、現下のウクライナ危機のことを考えれば、そして気候変動問題等を考えれば、EU・欧州も極めて重要なアクターである。また、将来の成長や地政学的な重要性を考えれば、インドの存在も軽視できない。そしてインドと同様に、ASEANも重要なアクターとして存在感を高めている。さらに、日本も、米国・中国・ロシア・中東の4大アクターとそれぞれに重要な関係を有し、世界3位の経済大国でもある。しかし、ことエネルギー地政学という点においては、やはり、上述した4大アクターの重要性は他を圧しており、その相互関係が世界のエネルギー地政学環境の全体像を構成する最も重要な要素となっているといって良いだろう。

この4大アクターと、ウクライナ危機の重要性を踏まえた欧州の問題に鑑み、以下では、4大アクターの相互関係を中心に、米国・中国関係、米国・ロシア関係、欧州・ロシア関係、中国・ロシア関係、米国・中東関係、中国・中東関係、ロシア・中東関係、の7つの地政学情勢を、①国際政治・地政学情勢、②エネルギーを巡る関係、③ウクライナ危機を巡る関係、の3点で整理し、論ずることとする。

2　米国・中国関係――米中対立激化はウクライナ危機で一層複雑化へ

①国際政治・地政学情勢

米中関係は、中国の国力の増大が米国の国力を追い上げていく中、対立関係が徐々に顕在化してきた。前トランプ政権期に、当初は「貿易戦争」の激化で始まった緊張関係が、コロナ禍を巡る対立や香港・台湾・新疆《しんきょう》ウイグル問題や海洋進出問題などを巡る対立激化の中で、「米中新冷戦」という言葉が使われるようにさえなった。

バイデン政権下での米中対立の行方が世界の注目を集めたが、人権・民主主義などの価値観外交を重視するバイデン政権の下で、米中関係はさらに厳しさを増すことになった。また、バイデン政権の特徴の一つは、前トランプ政権が、中国との対決についても、単独で事に当たり、厳しい圧力を掛けて「ディール」をまとめていくという様相があったのに対し、日欧や豪州・インドなどと国際連携し、中国と対峙するという同盟重視型の対中戦略をとっていることである。中国もこれを意識し、ロシアとの戦略連携を強めて米国とその同盟国などに対抗していきつつ、中東・中央アジア・アフリカ・中南米での支援を確保して対抗する戦略を取っている。

米中対立が激化する中、中国経済への依存を下げ、中国経済との切り離しを試みる「デカップリング」論が関心を集めたが、世界経済及び米国経済との中国経済の極めて密接な関係の存在の理解が進むにつれ、デカップリングの困難さが認識されるようになっている。

しかし、本質的に見て、米国側からすれば、中国こそが米国の覇権に挑戦する本格的な競争相手であり、既存秩序への挑戦者となるという厳しい見方が広くリーダー層に浸透するようになっていることから、米中対立の厳しさは構造化し、方向としてはより厳しい方向に向かう可能性が高いものと思われる。

②エネルギーを巡る関係

中国は世界1位のエネルギー消費国であり、米国は世界2位となっているが、エネルギー需給構造には大きな違いがある。中国は全体としてのエネルギー輸入依存度は低いが、石油と天然ガスは高く、一方、米国は世界最大の石油・ガスの生産国であり、重要なLNG輸出国である。中国の石油輸入の過半は中東・アフリカからであり、その輸入はペルシャ湾・インド洋・マラッカ海峡・南シナ海などのシーレーンを経由して中国に輸送され、中国にとっては供給セキュリティ確保における米国の影響力・存在感を意識することになる。

巨大な石油・ガス輸入国である中国にとって、シェール革命で急速に生産・輸出者として存在感を高めた米国は、貿易不均衡への対策という観点でも、重要な輸入相手先として眺めることが可能である。しかし、米中対立の激化という要素が複雑さを作り出し、米中間のエネルギー貿易の将来にも影響を及ぼしていくものと考えられる。

米中間では、バイデン政権下において、気候変動分野では中国との協力が可能、あるいは重要であるとの認識が存在する。実際、当該分野では様々な対話が行われ、協力の可能性が模索されている。しかし、具体的にどのような分野で実際の気候変動対策における協力が可能となるのか、現時点ではまだよく見極められていない。また、米国が欧州と共に世界全体を視野に、途上国に対しても気候変動対策の抜本的強化を求める動きを強める中、途上国と米欧の間の気候変動問題を巡る「南北対立」が激化する可能性があり、その場合は、中国が途上国の代表として、それら国々との連携を深めていくという地政学情勢が展開する可能性がある。

エネルギーに関しては、先進技術・イノベーションに関する技術競争・技術覇権、エネルギー転換に必要な稀少鉱物分野における中国の存在感の大きさに関する警戒感の存在など、米中間の課題は他にも多数存在している。

③ ウクライナ危機を巡る関係

ウクライナ危機の発生で、米国（および欧州）とロシアの関係は一気に緊張し、対立が深まる中、米国は、対ロシアにも様々な政策・戦略資源をつぎ込まざるを得なくなった。その点で、米国は対中国と対ロシア、という2つの「戦線」を同時に扱うことになり、難しい舵取りを迫られるようになった。中国からしてみれば、米国からの圧力が対ロシア方面にも分散される、という形になったと言える。

米国および欧州が対露経済制裁を強化すればするほど、ロシアにとっては中国の存在感は大きくなる。中国が対露経済制裁の「抜け穴」になることや、中国がロシアに対する支援を強化することを米国は警戒しており、中国に対して警告を発することになる。

ロシアがウクライナに対して軍事侵攻し、「力による現状変更」を試みていることに対し、米国がロシアにどう対応しようとしているのかという点は中国にとって重要な関心事であると思われる。米国から見れば、中国がウクライナ問題の帰趨《きすう》を見極めながら、アジア方面で力による現状変更を試みたりはしないかどうかが懸念事項になっていく可能性が高い。こうして、ウクライナ危機は米中対立の構造により複雑で深刻な要素を付け加えたと見ることもできる。

3　米国・ロシア関係――ウクライナ危機で激化する対立関係

①国際政治・地政学情勢

米国とロシアの関係は、米国とソ連が超大国同士で対峙した「冷戦関係」から、ソ連の崩壊でロシアがその後継国となり、G8にロシアが加わるなど主要国として連携が模索されるなどの経緯を辿った。しかし、プーチン政権が長期化する中で、権威主義的な国家運営の傾向が強まり、2014年のウクライナ紛争とロシアによるクリミア併合でロシアはG8から除かれ、厳しい経済制裁の対象となることで、米国（および欧州）とは徐々に対立構造が深まる流れとなっていた。

また、米ロ関係においては、米国大統領選挙などへのロシアの介入・干渉に関する疑惑が問題視され、米国内でのロシアへの見方が厳しさを増す原因ともなっていた。また、バイデン政権が、人権・民主主義などの価値観外交を重視する姿勢であることも、米ロ関係をより厳しく、複雑にする要素であったと思われる。

他方で、ロシアは米国に次ぐ、核戦力の保有国であり、強力な軍事力を有する大国である。米ロ両国で、世界全体の9割に相当する核弾頭を保有しているが、その両国間で核戦力の削減を巡る交渉も続けられてきた。2021年には、バイデン政権とロシアの間で、新戦略兵器削減条約（新START）の失効ぎりぎりで、5年間の延長がまとまった。

米国が中国との本格的な競争に乗り出すため、バイデン政権がロシアとの関係をどのように管理・調整していくのかが注目されていた。ある意味では、本質的には対露関係は厳しいものの、米中対立の問題を戦略的に考慮し、ロシアに対してはある程度、融和的に動く面もあるのではないか、という見方が取られることもあった。しかし、後述する通り、ウクライナ危機でこの状況は激変することとなった。

② エネルギーを巡る関係

米ロ間で、本格的なエネルギー貿易面の相互依存関係は存在しない。これは何より、米国がシェール革命の成果によってほぼエネルギー自給を達成したからであり、欧州と異なり、ロシア産のエネルギーに依存する必要が基本的にはあまりないからである。

むしろ、エネルギー貿易あるいはエネルギー市場の面では、米国とロシアはライバル関係に立つと見るべきであろう。なお、これも、米国のシェール革命の成果によるところ大である。国際石油市場では、米国シェールオイルの大増産で需給が緩和し、原油価格が2014年後半以降、下落した。価格下支えとして、ロシアはOPECと共にOPECプラス産油国グループを結成し、協調減産を実施するようになった。米国シェールオイルの増産は、原油価格を低下させ、ロシアの石油収入を減少させる脅威なのである。他方で、下落した価格を立て直すためには、ロシアも減産でOPECに協力する必要がある。

米国のLNGもロシアにとっては競争相手となる。米国LNGはその供給柔軟性から、アジア市場にも、欧州市場にも、供給を振り向けることができる。欧州市場では、主にロシアのパイプラインガスと米国LNGが、アジア市場では主にLNG間で、競合することになる。シェール革命前の米国であれば、こうした事態は起こらなかった。シェール革命はロシアのエネルギー輸出に多様な影響を及ぼしている。

また、米ロ間のエネルギー関係では、2014年のウクライナ紛争以降、基本的にエネルギー分野での先進・重要技術での協力が経済制裁によって不可能になっていた。ロシアにも豊富に存在するシェールオイルの開発を始め、先進技術が不可欠となるエネルギー開発分野では、この制約がロシアの資源開発に影響を及ぼすと見られている。

③ ウクライナ危機を巡る関係

ロシアのウクライナへの軍事侵攻開始によって、米ロ関係は一気に緊張が高まり、対立関係が激化した。米国はロシアとの直接の軍事的な対峙に至らないように慎重に配慮をしつつ、ウクライナや欧州への支援を強化している。ロシアは、米国および欧州によるウクライナへの支援の強化に神経を尖《とが》らし、時には核兵器の使用を示唆するような恫喝《どうかつ》を行うに至っている。

米国は対露経済制裁強化を進め、世界をその点で主導してきた。幅広い分野での経済制裁を実施し、いち早く、エネルギー分野での禁輸措置に先鞭をつけた。3月8日には、ロシア産のエネルギー(石油、LNG、石炭)などの禁輸を大統領令で発表し、即日実施した。実際に米国はロシア産のエネルギーに依存してはおらず、だからこそ、禁輸に積極的に踏み込める状況にあったが、この問題で世界をリードする役目を果たしているといえる。4月以降は、G7・EUによるロシア産石炭の禁輸が始まり、5月にはEU次いでG7がロシア産石油の禁輸方針を発表するなど、全体としてエネルギー分野の制裁強化が進展しているが、米国がその中心となり、主導的役割を果たしている。

また、米国による石油・ガス・LNGの増産が欧州向けなどの供給源や世界市場への供給増の源泉としての役割を果たすなど、米国のエネルギーは対露戦略の面で重要な位置を占めるに至っている。

4　欧州・ロシア関係——相互依存から厳しい対立関係へ

①国際政治・地政学情勢

欧州とロシアの関係は、歴史的な経緯もあり、密接でありかつ非常に複雑なものでもある。ユーラシア大陸の大国の一つであったロシアは、欧州を巡る安全保障・国際関係・地政学の主役の一つであり、欧州列強との間で外交・戦争などの地政学関係を繰り広げてきた。第2次大戦後の冷戦期には、米ソ対立の下で、北大西洋条約機構とソ連が欧州で対峙する状況が続いた。

地政学的な緊張が陸続きの欧州・ソ連（ロシア）間で存在し続ける中でも、むしろ相互依存関係を深めることで関係の安定化を追求する動きも現実に存在した。その代表的な事例が、1980年代に議論の的となった、ソ連と欧州を結ぶガスパイプラインの建設であった。米国（レーガン政権）は欧州のソ連依存増大と安全保障上の懸念からこの構想に反対したが、欧州、とりわけ西独が相互依存関係による安定化の重要性を主張し、パイプラインによるロシアの大規模ガス供給が開始され、本格化することになった。実際、1980年代以降、ソ連（後にはロシア）からの欧州向けのガス供給は安定的に継続し、ロシアは「信頼できる供給者」としての地位を欧州において築くことになった。

しかし、やはりプーチン政権下でロシアが権威主義的国家の様相を示し始めると、欧州のロシアに対する見方も徐々に厳しくなり、2014年のウクライナ紛争、およびロシアのクリミア併合で欧州も対露経済制裁の実施に参加することになった。しかし、その後も経済制裁は実施され続けてきたが、欧州とロシアの関係は、エネルギー貿易を中心に密接な相互依存関係を続け、今日に至っているのである。

② エネルギーを巡る関係

エネルギー資源大国であるロシアと、世界の主要エネルギー消費国からなる欧州は、ま

図6-2　欧州とロシアのエネルギー貿易相互依存度（2020年）

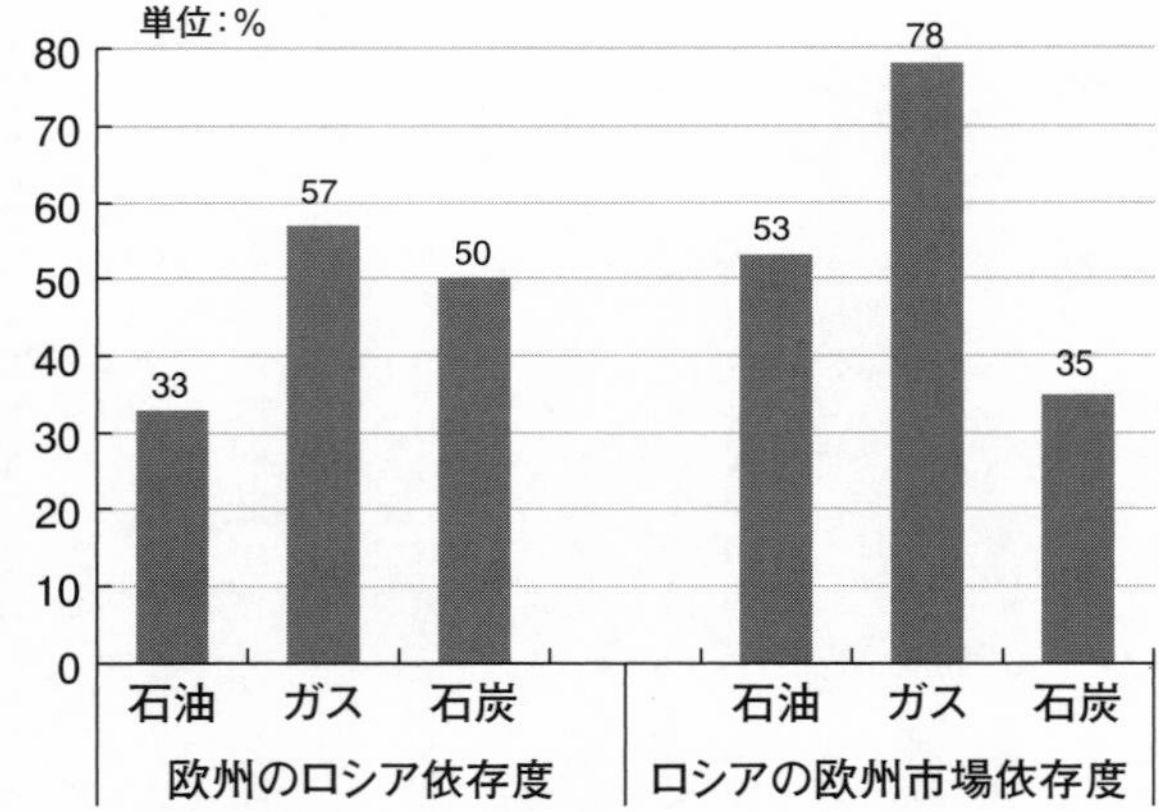

（出所）BP統計2021年版より筆者作成

さにエネルギー貿易の面で相互に深く依存する関係となっている。

２０２０年時点で見ると、欧州（東欧やトルコなども含む）のロシア産エネルギーの輸入依存度（全輸入に占めるロシア産の比率）は、石油33％、ガス57％、石炭50％となっており、いずれもロシアが最大の供給者の位置づけである（図６－２）。他方、ロシア側から見て、欧州市場向けの輸出シェア（全輸出に占める欧州向けの比率）は、石油53％、ガス（パイプラインおよびLNG計）78％、石炭35％となっており、欧州市場への依存が極めて高くなっている。主要な消費市場である欧州と、豊富で相対的に低廉なコストで開発可能な資源を持つロシアが距離的にも近接しており、エネルギー輸出インフラが整備されれば、双方にとって競争力があり、魅力のある市場ということになるからである。

欧州から見れば、化石燃料の供給源として、中東やアフリカ、中央アジアなども重要な供給源であり、近年はシェール革命で増産が続く米国も欧州への供給国へ名乗りを上げた。しかし、ロシアのエネルギー供給は欧州にとって、最も競争力のあるエネルギー供給であり続けている。他方、ロシアにとっても、欧州に依存することは問題もある。欧州の化石燃料需要そのものは頭打ちであり、かつ同地域が気候変動対策を強化していることからさらに脱化石燃料が進む可能性もある。そこで、ロシアは中国を始めとするアジア市場向けの輸出拡大に取り組み、実際に販路を多様化してきた。しかし、それでも欧州市場がロシアにとって最重要市場であることは変わらず、ロシアにとってエネルギー輸出収入が経済運営上で最重要であることからも、欧州市場への化石燃料販売が極めて重要になっているのである。また、欧州の脱炭素化をにらみ、ロシアはCO_2フリーの水素・アンモニアの欧州・アジア向け輸出にも取り組み強化を図るに至っていた。

③ウクライナ危機を巡る関係

ウクライナ危機の発生で、欧州とロシアの関係は劇的に変わった。欧州は軍事侵攻を続けるロシアに対する非難の声を強く上げ、従来にない厳しい経済制裁に乗り出している。その中で、高いエネルギー依存の問題を考慮し、エネルギー分野での経済制裁に踏み込むことには慎重な姿勢を取り続けていた。

しかし、ウクライナ危機の事態の深刻化に直面し、欧州でもエネルギー供給における脱ロシアの取り組みが徐々に始まり、強化されつつある。4月7日には、G7と共にEUがロシア産の石炭の禁輸に踏み切った。また、5月4日には、ついにEUが2022年内のロシア産の石油輸入の停止の方針を発表し、5月30日にはパイプライン輸入は除外したもののEUとしてのロシア産石油の禁輸をとりまとめるに至った。また欧州ではエネルギー安全保障強化のための「リパワーEU」計画が発表され、2030年までに（前倒しも含め）ロシア産のガスからの脱却を図る計画を示している。

他方、ロシアも4月24日に、ポーランドとブルガリアに対して、3月末に大統領令を定め、要求していたガス代金のルーブル払いに応じなかったとの理由で両国へのガス供給を停止した。さらに、「ヤマル欧州パイプライン」での供給停止や、「ノルドストリーム1」パイプラインでの供給削減などの動きもみられている。今後、ロシアによるガス供給の停止がどうなるのか、また、EUがロシア産の石油の輸入停止を進めていく場合、ロシアがそれにどう対応するのか等が欧州とロシアの関係において、そして世界のエネルギー地政学問題として注目されることになる。

5　中国・ロシア関係――戦略的連携関係下でロシアの立場は弱体化へ

①国際政治・地政学情勢

中国とロシアの関係は、近年の国際情勢の下で基本的に緊密化・連携強化が進む方向で事態が進んできた。米中対立が激化し、米ロ関係も厳しさを増す方向で動いてきた中、両者が米国を意識し、また米国と同盟・連携関係にある諸国・地域と対抗していくためにも、中ロ関係を強化することが双方の利に適《かな》うからである。

後述する通り、ウクライナ危機が一気に深刻化する中で、欧米日等による対露制裁が強化され、ロシアの孤立化を図る戦略が取られる中で、ロシアはますます中国との連携強化を重視するようになっている。連携強化は、外交・国際政治・安全保障・軍事・経済・エネルギーなど多様な分野で進められつつあり、米国・欧州などの陣営に対抗する中ロの戦略の中心的な役割を果たすに至っている。

しかし、中ロ関係は決して単純ではない。特にロシア側は、世界で影響力・存在感を高める中国に対して、潜在的には警戒感を有している可能性がある。中国の急速な成長と国力の拡大の中で、中ロ間の力のバランスが中国に大きく傾く状況になっていることが影響していよう。また、国境を接する両国間では、特に東シベリアなどロシア東部において、中国の経済的影響力が浸透し、非常に強化されるようになりつつあることもロシア側の懸念の種となっている。米国という共通の「対抗者」「敵」が存在しているため、中ロは結束を強めているが、本質的には両国関係には複雑さ・難しさが存在している。

② エネルギーを巡る関係

中国が世界最大のエネルギー消費国になり、巨大なエネルギー輸入国になるにつれ、エネルギー安全保障の確保が重要課題になった。石油輸入における中東依存を引き下げ、供給源の分散化を図る上で、ロシアからのエネルギー輸出が重要な可能性として浮上してきた。

　他方、欧州市場に大きく依存してきたロシアにとっても、輸出先の多様化・分散化は経済安全保障上の重要課題であり、その時に巨大市場として登場してきた中国は重要な販路多角化の相手先となった。

　こうして、双方の利害が基本的に一致する中、2000年代以降は基本的に両国のエネルギー貿易は拡大する方向で動き、それを支えるインフラの整備も進められた。石油では中国向けのパイプラインが建設され、東シベリア太平洋パイプライン（ESPO）も建設された。天然ガスインフラ整備と輸出はより時間が掛かったが、「シベリアの力」パイプラインが建設され、ロシアからのガス供給が開始された。今後も、基本的に中国の需要が拡大し、ロシアからの供給も増大する見通しが多く示されている。

　エネルギー分野での相互依存関係の深化が進む中ロ関係だが、その過程では、慎重な戦略的検討が双方で行われてきたものと思われる。中国にとっては、ロシアからの供給に過度に依存することにならないよう、多様化・分散化戦略の中で慎重に導入の検討を進め、かつロシアの置かれている市場状況を睨《にら》みながら厳しい価格交渉を実施してきた。また、その多様化戦略の中で、例えばガスについていえば、中国は、国産ガスを最重視し、中央アジアのパイプラインガス、LNG供給を手中に入れながらロシアのガス供給導入を検討してきた。こうした中国の厳しい戦略は、ロシアにとってみれば、足下を見られるような厳しい交渉であり、容易な販路開拓などでは決してなかった。また、ロシアからしてみると、パイプライン供給において中国が「買手独占」状況となり、ロシアに対してより優位な立場を築く可能性もあることも要考慮事項となりうる。

③ウクライナ危機を巡る関係

ウクライナ危機の発生後、ロシアに対する欧米日の経済制裁強化と対露非難の強まりで、ロシアはその対抗軸として中国との連携強化をさらに強める方向に動かざるを得なかった。こうして両者の連携の一層の強化の下で、米国とその戦略連携・同盟国との対峙に臨む中国・ロシアとなったが、両者間の力のバランスは、一層中国有利に傾くことになったものと考えられる。

G7やEUなどがロシア産のエネルギーに対する禁輸措置を強化すればするほど、ロシアにとっては中国市場が重要になる。もちろん、エネルギー輸出にはそのためのインフラも必要であり、欧州向けに輸出していたガスをすぐに中国に輸出することなどはできない。

しかし、石油や石炭、そしてLNGなどについては、中国（やインドなど）を代替輸出先として重視する流れが一層強まるだろう。その際には、禁輸によって販売しにくくなったエネルギー供給を捌《さば》くため、ディスカウントが求められる可能性もあり、中国が有利な購入を進め、エネルギー輸入コストの削減という実利を得る可能性もある。G7やEUが実際にロシア産のエネルギー禁輸を実行する場合、ロシアの輸出がどれほど減少・低下するかどうかは中国の（またインドなどの）購入がどうなるかに依存することになるだろう。

6　米国・中東関係——中東の安定に大きな影響を与える米国の存在

①国際政治・地政学情勢

世界のエネルギー供給の重心であり、地域情勢が常に流動的な中東に対して、米国がどのように関与してきたかは、国際政治・地政学情勢の安定を左右する重要問題であり続けてきた。アラブ・イスラエル問題に対する米国の対応、イラン革命後のイランと米国、米国による湾岸産油国への安全保障協力、湾岸戦争、イラク戦争などは、米国と中東との関係が激しくこの地域と世界を揺さぶってきたことを明らかにしている。

中東の安定（あるいは不安定）化に深く関わってきた米国であるが、趨勢的《すうせいてき》に見ると、その米国の関わりが徐々に低下しているのではないか、さらに低下していくのではないかという点への関心が高まっている。米国の国力が相対的に低下する方向にあり、米国が国力と政策資源を投入する先として中国を重視し、さらにはウクライナ危機への対応を強化していく中、米国の関心と国力投入先としての中東の重要性が相対的に低下していくのではないか、と考えられるようになっているのである。「米国はもはや世界の警察官ではない」という意識が米国でも広まり、中東でも広まることで、中東の安定を巡る「力の真空」が発生していくことも懸念される。

他方、足下での中東と米国の関係では、イラン制裁を巡る米国とイランの関係やサウジアラビアと米国の関係などが特に注目される。現時点ではウクライナ危機を眼前にして、その重要性が相対的に目立たなくなっているものの、イランの核開発の動向と米国・イラン関係の今後は中東情勢を左右していく重要なポイントであろう。また、従来は安全保障と石油市場の安定において、「特別な関係」にあった米国とサウジアラビアの関係が、バイデン政権の下でギクシャクしている点とその改善に向けた取り組みも世界のエネルギー地政学を左右する問題の一つとして注目される。

② エネルギーを巡る関係

シェール革命の前、米国がエネルギー輸入依存の上昇に苦しんでいた頃は、中東情勢の安定は米国のエネルギー安全保障を直接左右しうる重大な問題であった。1979年の「カータードクトリン」が示すように、中東の石油を支配しようとする試みは米国の死活的利害に挑戦するもの、という認識が存在していた。しかし、シェール革命で米国のエネルギー政策が「豊富」を前提としたものになり、米国のエネルギー供給拡大を国益追求に活用する方向になると、状況は大きく変わってきた。もちろん、シェール革命によっても、米国が中東の石油を輸入しなくなったわけではない。米国の製油所の中には中東原油を必要とする製油所も多数あり、中東原油は輸入され続けている。また、米国がエネルギー自給を果たしても、国際市場における原油価格が高騰すれば、米国民が払う原油価格あるいはガソリン価格は高騰し、米国にとって重要な問題になる。その点、世界の石油供給の重心である中東は米国にとって引き続き重要な位置を占めている。

他方、シェール革命の進行は、米国の石油・ガス生産を激増させ、市場の需給を大幅に緩和させることになった。サウジアラビアを盟主とするOPECはロシア等と連携して減産し、価格下支えを行わざるを得なくなった。中東産油国にとって、米国のシェール資源は国際エネルギー市場における強力なライバル・競争相手になっているのである。この点も、米国と中東の間の新たなエネルギー関係の重要なポイントであろう。

もう一つ、米国バイデン政権がEUと共に強力に推進しようとしている脱炭素化の取り組みは、中東産油国にとって大きな挑戦を突きつけることになる。化石燃料輸出収入に依存する中東産油国にとっては、化石燃料の脱炭素化と経済の多様化・高度化を推し進める以外に対応策はなく、将来に向けた厳しい対応が求められていくことになる。

③ ウクライナ危機を巡る関係

ウクライナへの軍事侵攻を契機に国際エネルギー市場が不安定化している中で、中東の主要産油国・産ガス国の対応が今後の市場展開とエネルギー安定供給確保の面で注目を集めている。米国が当該国の安全保障確保に重要な関与をしている湾岸諸国に対して、米国からの要請に基づいて、供給拡大をすることが米国側からは期待されている。

その最も中心的な存在がサウジアラビアである。約200万B／Dにも及ぶ余剰生産能力を保有するサウジアラビアは、従来は米国と特別な関係にあり、国際石油市場の安定化に大きな役割を果たしてきた。しかし、2021年10月以降、翌年5月までは、高騰した原油価格に対応してバイデン政権から追加増産を要請されてきたOPECプラスでは、盟主サウジアラビアを中心に、追加増産の必要性を認めず、要請を受け入れてこなかった。前述したように、サウジ人ジャーナリストの殺害問題などに対する対応を巡り、人権・民主主義などの価値観外交を唱導するバイデン政権とサウジアラビアの関係がギクシャクしていることも、サウジアラビアが追加増産に前向きになっていないことの一つの理由として指摘する声もある。2022年6月にOPECプラスは、ようやく重い腰を上げて追加増産を決定したが、この背後には米国側の強い働きかけがあったとも見られている。今後、国際石油市場での原油価格のさらなる高騰や、ロシアからの石油供給の支障・途絶発生の際に、米国とサウジアラビアがどのような対応を見せるかが大いに注目されるところである。

7　中国・中東関係――高まる中東での中国の存在感

①国際政治・地政学情勢

中国が1993年に石油の純輸入国となり、その石油輸入が急速に拡大、世界最大の輸入国となる中、石油貿易関係を通じて、中国と中東産油国の関係強化が進んできた。2000年代以降の、凄《すさ》まじい勢いの中国の経済成長を通して、国際政治・世界経済・エネルギー市場での中国のプレゼンスが拡大し、中国と中東の経済関係進化はエネルギー貿易だけに止《とど》まらず、全体的に大きく進展した。

中東にとって、中国は貿易・投資・ビジネスにおける極めて重要なパートナーとなっている。また、米国との関係が経済制裁の存在で困難を極めてきたイランなどの場合、特に中国の存在感は大きい。伝統的に米国との関係が深い湾岸産油国においても、もはや中国の影響力は到底無視できないまでに拡大している。

中国にとっては、中東はエネルギー資源確保の重要な拠点であり、またビジネス拡大の対象市場でもある。中国の対外戦略として一時期は世界的な注目を集めた「一帯一路」戦略でも、中東は重要な対象地域として取り組み強化が図られていた。

折しも米国の中東に対する関与が低下していく可能性が囁《ささや》かれる中で、中国にとっては中東への進出を強め、中国と中東の相互関係強化を図る機会と映っている可能性がある。バイデン政権下で、人権・民主主義などの価値観外交が重視されると、中国は中東に対して、「内政不干渉」の重要性を訴えかけ、湾岸産油国など米国の同盟国に対しても楔《くさび》を打ち込むような戦略を展開している。今後の中国による中東への関係強化の取り組みがどう進み、それがどのような発展を示すか、大いに注目していく必要がある。

② エネルギーを巡る関係

中国の石油・LNG輸入が拡大を続ける中で、エネルギー輸出に経済運営を大きく依存する中東の産油国・産ガス国にとっては、中国との関係強化を図ることが戦略的重要性を高めてきたことは言うまでもない。中国とのエネルギー協力強化は、中東産油国にとって経済発展・成長のための最重要戦略となってきたのである。2020年時点で中東からの原油輸出の29%は中国向けであり、中国が圧倒的に重要な輸出先第1位である（図6－3）。

他方、中国にとっては、中東は最大の原油輸入先である。原油輸入の中東依存度は、2

図6-3　中東の原油輸出先と中国の重要性（2020年）

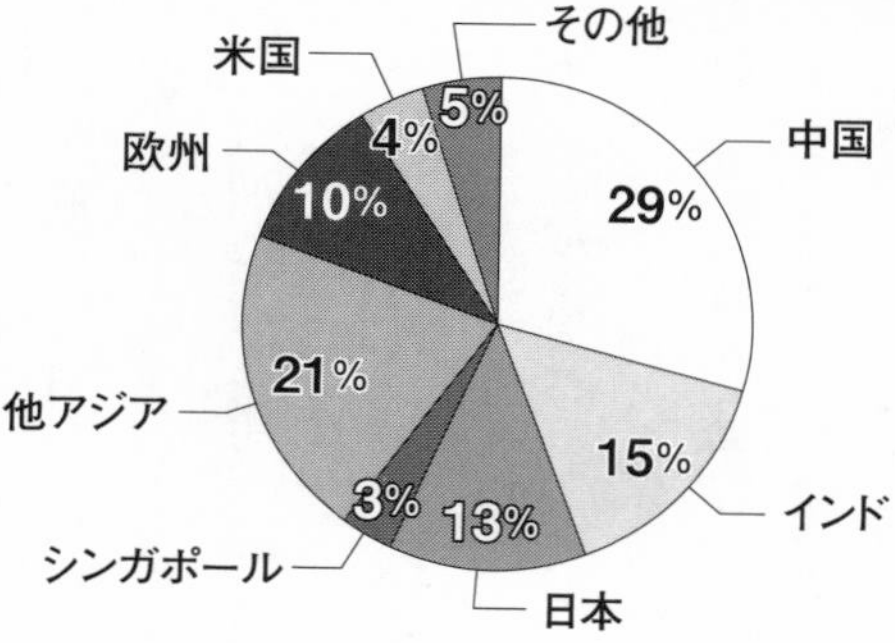

（出所）BP統計2021年版より筆者作成

図6-4　中国の原油輸入先と中東の重要性（2020年）

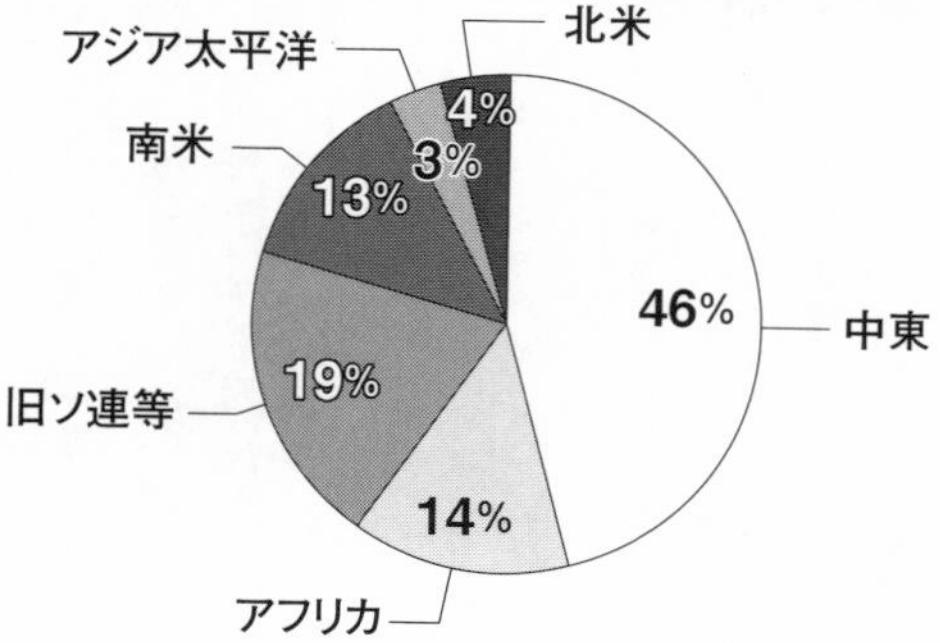

（出所）BP統計2021年版より筆者作成

020年で46％となっており、中東が最大の供給源である（図6－4）。その意味において、中国と中東はエネルギーの輸出入での深い相互依存関係を確立しており、今後その関係はますます深まる可能性が高い。コロナ禍で世界のエネルギー需要が大幅に低下した2020年に、中国だけはエネルギー需要が増加し、世界の産油国・資源国から見て、中国市場の重要性が一層大きくなった。今後も、欧米を始め多くの国が脱炭素化の取り組みを進め、石油需要が低下していく可能性がある中、中国は2030年まではおそらく化石燃料の消費は減らず、むしろ増加していく可能性が高い。中国も2060年カーボンニュートラルを目指すとしているが、今後10年余りにわたって、中国の需要が資源国にとっての重要性を高めることは必至である。

中国はLNG需要も急速に拡大し、2021年には日本を抜いて世界最大のLNG輸入国となった。世界最大級のLNG輸出を誇るカタールにとっても、中国市場は極めて重要であり、拡大する同国市場への取り組み強化を図るものと思われる。

③ ウクライナ危機を巡る関係

ウクライナ危機に関しては、中国も中東も、共に直接の関与・関係は薄く、様々な国際情勢の影響を通して、間接的な影響が両国・地域関係に発生してくるものと思われる。その中で注目されるのが、中国がどれだけロシア産のエネルギー輸入を吸収するかという問題であり、これが中東産のエネルギーと競争する可能性がある点であろう。逆に中東産のエネルギーはロシアの供給を代替するため、禁輸に参加するEUなどに重点的にシフトされる可能性もある。中国（やインド）によるロシア産石油やLNGの追加的引き取りの数量の大小は、それによる中東産石油・LNGが欧州に振り向けられる数量を左右し、ひいては国際需給と価格動向を左右する可能性もある。ウクライナ危機を通じて、中東と中国のエネルギー貿易関係に変化が生ずる可能性があり、その点には留意していく必要があろう。

8　ロシア・中東関係——中東で存在感を維持するロシア

①国際政治・地政学情勢

ロシアと中東の関係も、様々な歴史的経緯を有しており、複雑である。ロシアとの友好関係を築いているシリアやイランもあれば、これまではその関係において距離があったサウジアラビアなどにおいても、ロシアの存在感は高まっている。

国際的なエネルギー地政学問題の中心であり続けている中東において、一定の影響力を行使することは、ロシアの重要性を世界に、米国に、欧州に、強くアピールする国際戦略上の重点の一つであると考えられる。また、武器輸出などの面においても、軍事的緊張が常に継続する中東はロシアにとって重要であり、また輸入する中東側にとっても、軍事力強化と調達先の多角化という点で意義を有するものであった。

また、米国の中東に対する関与低下が指摘され、当の中東においてもその懸念や問題意識が持たれる中で、ロシアが中東での存在感を高めることはロシアにとって極めて重要であると共に、中東にとっては、一種のリスク分散としての意義が認められてきたものと思われる。複雑な地域情勢下にある中東諸国にとっては、ロシアとの関係を保っておくことは戦略的に有意義であり、対米・対欧州関係でのレバレッジにもなりうると考えられている可能性がある。要するに、ロシア・中東の双方において、関係維持・強化に一定の戦略的意義を見出してきたものと思われる。

②エネルギーを巡る関係

エネルギーに関しても、近年においては、様々な複雑な関係が生じているものの、基本的には共に国際エネルギー市場における重要な供給者として、競争・競合関係にあると見て良い。ロシアも中東も、例えば成長・拡大するアジア市場への販路拡大を目指しており、その点で競争関係にある。中国では、原油販売を巡って、ロシアとサウジアラビアがトップサプライヤーの地位を競う展開が続いてきた。今後も基本的には、共にアジアへの輸出拡大・販路確保を目指す方向にあるため、供給者として競争していくことになるだろう。

他方、国際石油市場では、2016年以降、OPECがロシアなどの非OPEC産油国と協力し、OPECプラスの協調減産を続けている。コロナ禍で発生した供給過剰に対応し、原油価格暴落から市場を回復させるためにOPECプラスは史上最大規模の減産を実施し、現在まで減産幅を縮小させながら、協調減産を続けている。協調減産の最も重要な部分が、まさにロシアとの協力であり、OPECの盟主サウジアラビアとロシアの協力という面が重要である。

③ウクライナ危機を巡る関係

ウクライナへの軍事侵攻に対して、欧米日等がロシアへの非難を強め、経済制裁強化に乗り出しているが、中東諸国はロシアに対する非難や制裁などには、慎重な姿勢を見せる国が多い。２０２２年2月25日に採決された国連安全保障理事会でのロシア非難の決議案は、賛成多数ではあったがロシアの拒否権発動で否決された。しかしその中で、棄権票が3票あり、中国、インド、そしてアラブ首長国連邦によるものであった。またこの決議案には、一般の加盟国が署名参加し、80カ国が加わったが、中東で署名したのはクウェートとトルコのみであった。それだけ、ロシアとの関係に配慮をしている状況が窺《うかが》える。

ウクライナ危機下で原油価格が高騰し、欧米等から原油の追加増産を要請されているOPECプラスとその盟主であるサウジアラビアであるが、２０２２年5月まではその要請を受け入れず、計画通りの増産継続を堅持し、ようやく6月に追加増産に踏み切った。この背景の一つには、米国とサウジアラビアの関係に課題がある可能性をすでに指摘したが、他には、基本的にOPECが、そしてサウジアラビアが、ロシアとの協調減産を重視しているという点もある。今後の原油価格動向、とりわけ、ロシアの原油供給に何かの支障が発生するような場合における、ＯＰＥＣの、サウジアラビアの対応が注目されるところである。

また、ロシア産のエネルギーに対する禁輸措置がＧ７やＥＵで実施されていく場合、それらの国々に対する代替供給が必要となり、基本的に中東産油国や産ガス・ＬＮＧ輸出国にその期待がかかる。一方、ロシアは、禁輸に参加しない国、例えば中国やインドなどへの輸出を増加させ、そこでは中東からの輸出が押し出される可能性がある。中東とロシアの間でエネルギー輸出のフローが変化する可能性がある。この間、エネルギー市場での価格が高騰することで、中東の資源輸出収入は拡大し、経済的にはその恩恵を被る可能性が高い。

第7章

エネルギー地政学を左右する主要国

――各国の地域情勢と重要性

前章においては、世界のエネルギー地政学環境の全体像を概観した後、全体像を構成する主要国・地域間の相互関係について、整理・考察を行った。具体的には、米国・中国関係、米国・ロシア関係、欧州・ロシア関係、中国・ロシア関係などについて、3つの項目を立てて、相互関係という視点からの論述を行った。

それに続いて、本章では、相互関係ではなく、世界のエネルギー地政学を左右する主要国・地域を6つ選び、①エネルギー需給面での重要性、②国際政治・地政学の面での重要性、③ウクライナ危機対応の面での重要性、④日本と当該国関係の重要性、の4つの視点で、それぞれの国・地域の重要性を示すこととしたい。その6つの国・地域とは、米国、中国、ロシア、欧州、中東、インドである。

1　米国の重要性——揺らぐ世界でのリーダーシップ

①エネルギー需給面での重要性

米国は中国に次ぐ、世界2位の一次エネルギー消費大国であり、2020年の消費量は87・8エクサジュール（10の18乗ジュール、EJ）で、世界に占めるシェアは16％である。

2020年の一次エネルギー構成は、石油37%、ガス34%、石炭10%、原子力8%、再生可能エネルギー7%、水力3%であり、石油とガスの割合が高い。

国際エネルギー貿易財として、圧倒的に重要な地位を占める石油と天然ガスについては、米国の消費の世界シェアは石油19%で1位、天然ガス22%で1位となっている。また、石油と天然ガスについては、その生産量においても共に世界1位である。世界のエネルギー問題を考える上で、国際貿易上、非常に重要な石油と天然ガスで、米国は消費でも生産でも世界1位であり、これに関連した米国の政策が世界を大きく動かしていくことになる。もちろん、その他には世界シェア1位の原子力や中国に次ぐ第2位の再生可能エネルギーなど、米国はエネルギー全体を通して、国際的な影響力を強く及ぼす国である。

米国のエネルギー消費は、2007年までは増加傾向にあったが、リーマンショックの影響で2009年に大幅に減少し、その後は基本的に横ばいから微増傾向を示している。2020年にはコロナ禍の影響で前年比8%減の大幅低下となった。また、エネルギー起源CO_2排出量は2020年には44・3億トンであり、世界シェアは14%である。

エネルギー需給面において米国で特筆すべきポイントは、シェール革命によって米国の石油・ガス生産が2000年代半ば以降大幅に増加し、その結果、米国の石油純輸入依存度はピーク時の66％（2006年）から激減、現在はほぼ自給状況になったことである。ガスに至っては2005年に輸入依存度が22％まで上昇したが、現在では米国は世界有数のガス・LNG輸出大国となった。国際貿易財として最重要の、石油とガスについて、米国が輸入依存をシェール革命の成果をもって脱却したことは、国際エネルギー情勢における一大転換であり、米国の政策とその影響が国際エネルギー市場を大きく動かす本質的に重要な要因となっていることを理解することが必要である。

②国際政治・地政学の面での重要性

米国はソ連との冷戦に勝利し、唯一の超大国の地位を保持してきた。その、国際政治・外交・軍事・安全保障・経済・技術などの面における卓越した地位で、米国は圧倒的な力と影響力を有してきた。中国による急速な追い上げでその力に揺らぎが出てきているが、米国が世界で最重要の影響力を有する国家であることに変わりはない。

ただし、急速にキャッチアップしてきた中国が、自らにとっての最大の本格的挑戦者であることを米国は自覚し、21世紀は中国との競争の世紀となることを米国自身が強く意識するようになった。こうして、米国と中国の関係には緊張が増し、対立構造が明確化してきた。前トランプ政権期から、米中対立は激化し、「米中新冷戦」と称されるような厳しい状況が展開された。バイデン政権は、その特徴として、人権・民主主義の重視を掲げる価値観外交を推し進め、この面でも中国と対峙している。

米中対立が激化する中で、ウクライナ危機が深刻化したため、米国およびその同盟国は対中国と対ロシアの「2正面作戦」を余儀なくされることになった。米国にとっては大きな負担・課題となるが、まさに世界の超大国として、国際秩序の中心国として、その対応と力量が試されることになっている。

バイデン政権は、中国及びロシアとの対抗に当たって、単独主義ではなく、欧州、日本、豪州、インドなど、民主主義などの価値観を共有する同盟国や戦略的連携が可能な国と協調して事に当たる戦略を取っている。米国を中心とした国際協調を米国がリーダーシップを発揮して取りまとめていけるかが今後の世界の安定のカギを握ると言っても良い。

また、バイデン政権が世界のエネルギー地政学に影響する重要な政策として、気候変動を最重視する政策をとっていることが注目される。気候変動防止そのものは「地球益」追求のため極めて重要だが、途上国・新興国への脱炭素化の取り組み促進への働きかけのやり方次第では、途上国との軋轢《あつれき》が生じ、南北対立の激化を招きかねない。また、自らの脱炭素化への取り組みが問われるが、米国の国論の分断の存在により、国内政策をどの程度強力に推進し脱炭素化に取り組めるか、先読みが難しい状況にある。また2022年の中間選挙、2024年の大統領選挙の結果とその影響も注目される。さらに、バイデン政権が展開する石油・ガス政策も、今後の国際エネルギー市場の安定に大きな作用を及ぼすものと考えられる。

③ウクライナ危機対応の面での重要性

ウクライナ危機が深刻化する中、米国が国際政治・地政学、そして国際エネルギー市場の安定に関して極めて重要な役割を果たすことが改めて浮き彫りになった。軍事侵攻を続けるロシアと政治・外交・経済的に対峙し、ウクライナを支援し、欧州と連携し、中ロ連携に対して中国を牽制する、など米国の地政学的役割は巨大である。また、米国の石油・ガス生産の拡大は、今後の国際エネルギー市場の安定に貢献する重要な役割が期待されている。国際エネルギー秩序維持のための国際協力を強化する上での米国のリーダーシップも世界が注目するところとなっている。

④ 日米関係の重要性

同盟国として、日米は世界の重要問題において今まで以上に協力関係を強化・深化させていく方向に向かいつつある。対中国、対ロシアなどの重要な地政学問題、あるいはエネルギー地政学問題で日米は相互に相手を必要としており、戦略的パートナーとして、ユーラシアの、あるいはアジア太平洋の、そして世界全体での諸問題に協力して対応していくことが求められている。

日本は米国と共に、国際エネルギー市場の安定と、国際エネルギー秩序維持・強化のため、国際協力体制の整備・再構築に取り組んでいく必要がある。もちろん、その場合の基軸が強固な日米関係であり、その上で、中東情勢安定に向けた産消対話やエネルギー・気候変動問題に端を発する南北問題先鋭化の緩和・回避のためのアジア新興国・途上国との対話などにおいて、日本が米国を支えていくことも必要になる。

まとめ——米国の重要性

■ **エネルギー需要面**

・世界第2位のエネルギー消費国（2020年の世界でのシェアは、エネルギー全体：16%、石油：19%、ガス：22%）

・石油・ガス等は世界1位

・2009年は全体で前年比5%減。その後は横ばいで推移（2020年は8%減）

■ **エネルギー供給面**

・シェール革命で非在来型ガス・石油の生産が劇的に増大

・世界最大の石油・ガス生産国

・輸入は大幅に減少。LNG・石油は輸出

■ **その他（政策面等）**

・冷戦後、唯一の超大国としての政治・経済面での影響力
・中国の台頭で揺らぐ超大国としての影響力
・注目されるバイデン政権の内外政策
・中国と「米中新冷戦」、ウクライナ危機でロシアとも対決へ
・気候変動政策強化とその影響
・2050年カーボンニュートラル目標
・気候サミットなど、気候変動外交を積極展開

2 中国の重要性――その台頭が世界のパワーバランスを変える

① エネルギー需給面での重要性

中国は世界1位の一次エネルギー消費大国であり、2020年の消費量は145・5EJで、世界に占めるシェアは26%と2位の米国を大きく引き離している。2020年の一次エネルギー構成は、石炭57%、石油20%、ガス8%、水力8%、再生可能エネルギー5%、原子力2%であり、近年は趨勢的《すうせいてき》に低下してきたとはいえ、石炭の割合が圧倒的に高

い。
中国が世界最大のエネルギー消費国となっているのは、その圧倒的に大きな石炭消費によるところが大きい。中国の2020年の石炭消費は、世界の消費量の54％を占めている。国際エネルギー貿易財として重要な石油と天然ガスについては、中国の消費の世界シェアは石油16％で米国に次いで2位、天然ガス9％で3位である。近年は石油もガスもその消費量を大きく拡大させているが、この2つの国際エネルギー貿易財の消費においては、まだ米国に及ばない。ただし、中国はこの2つ共に輸入が急激に拡大しており、石油もガス・LNGも世界最大の輸入国となっている。従って、その輸入動向が国際市場の需給バランスに大きな影響を及ぼしている。なお、中国は再生可能エネルギーのシェアにおいて、世界1位であり、原子力についても、その急速な拡大によっていずれ米国を抜いて世界1位の原子力大国になると予想されている。

中国のエネルギー消費は、基本的に大きく増加してきており、2020年のコロナ禍においても、中国は一次エネルギー全体として、2％の増加を示し、世界での存在感を一層高めた。こうして、CO_2排出も増加し、2020年の排出量は98・9億トンとなり、世界シェアは30％の1位であった。

エネルギー需給面において中国で特筆すべきポイントは、徐々に石炭のシェアが低下して、エネルギー需給構造の脱石炭が進展していること、その一方で、国内エネルギー消費の増加に国内生産が追いつかず、自給率の低下傾向が見られてきたこと、である。最大のエネルギー源である石炭がほぼ自給自足に近いため、一次エネルギー全体での自給率は82%と高い水準にある。しかし、第2位のエネルギー石油については、1993年に純輸入国化した後、輸入依存度が上昇し、2020年の輸入依存度は71%と極めて高く、天然ガスも41%まで輸入依存度が上昇している。石油輸入における中東依存度は約5割であり、中国にとって、石油輸入依存と中東依存が、エネルギー安全保障の課題の中心である。ガスについても同様の課題が生じており、中国はこれらの安定供給対策を重視しており、それが国際エネルギー情勢に様々な影響を及ぼすことになる。なお、世界が脱炭素化に向かう際、再生可能エネルギーと電力化の推進が重要になるが、中国がそれを支えるための重要物資、稀少鉱物の資源と精製能力の主要な供給源であることも重要である。

②国際政治・地政学の面での重要性

21世紀に入って以降の中国経済の急激な成長と拡大によって、中国の国力は全体的に大きく拡大し、世界経済・国際政治などの面において、中国の存在感・影響力は劇的に高まった。先進国にとっても、途上国にとっても、資源輸出国にとっても、中国との関係強化が最重要課題の一つとなり、その中で中国の影響力はさらに高まることになった。

こうした状況が継続し、その存在感が圧倒的に大きくなる中で、かつての中国の指導者、鄧小平《とうしょうへい》が提示したとされる外交基本思想である「韜光養晦《とうこうようかい》」（才能を隠し、うちに力を蓄えること）から離れて、「主張する外交」が展開されていくようになった。この外交方針の転換と中国の存在感・影響力の増大が相まって、中国に対する警戒感が徐々に高まるに至った。

中国の国力の増大と対外積極政策の組み合わせは、国際政治・外交・安全保障・世界経済などの分野における中国の影響力の拡大をさらに加速化することになると同時に、中国が既存秩序の変更を求める勢力なのではないか、世界の覇権国家である米国に本格的な挑戦を挑む国家になるのではないか、との見方がとりわけ米国で浸透するようになり、米国との関係が緊張し、現在の米中対立構造の発生に至った。

この間、中国による海洋進出問題や香港・台湾・新疆ウイグル問題などが世界の関心を集め、中国による世界戦略である、「一帯一路」構想も世界的な重要関心事項となった。

大きな影響力を世界に対して行使するようになった中国自身の政治的・経済的・社会的安定も世界の重要問題である。長期政権化を目指す習近平《しゅうきんぺい》体制の安定の度合い、中国経済の今後の成長状況、コロナ禍との戦いなどが世界を左右する重要問題となる。

③ウクライナ危機対応の面での重要性

ウクライナ危機の発生前から、中国はロシアとの戦略的連携関係を深めていたが、ウクライナへの軍事侵攻によってロシアが欧米日などとの対立を激化させる中で、ロシアは今まで以上に中国との関係強化を図る流れとなっている。その中国がウクライナ危機への対応で、ロシアへの支援・協力をどの程度、どのような形で実施していくのかは、この危機の今後の展開を左右する重要な要素の一つである。その関わりは、外交・軍事・経済・エネルギー面などで多岐にわたる。例えば、欧米日から禁輸措置を受ける場合、ロシアのエネルギー輸出の重要な代替販路となりうるのが中国である。その場合、中国はロシアの立場を見越して、有利な条件でエネルギー供給確保を図ることも可能になる。いずれにせよ、ウクライナ危機での中国の対応は、極めて重要な地政学要因であり続ける。

④ 日中関係の重要性

外交・安全保障面では緊張関係が存在する日中関係であるが、同時に経済面では極めて深い相互関係が構築されている。日中関係が全体として安定に向かうのか、不安定化に向かうのかは、両国にとって、とりわけ日本にとって、極めて重大なインパクトを持つ問題である。また、その帰趨《きすう》は、アジアの安定全体に関わるものとなる。

巨大な存在となり、日本にとっての影響力も大きな中国との関係を適切に保ち、マネージしていくことが日本にとっては重要である。そのためには、日本自身の外交・安全保障・経済面での最大限の努力と共に、同盟国である米国との連携強化を基軸にしつつ、欧州や豪州・インド・ASEANなどとの包括的な連携・協力体制を整備・強化していく必要がある。

同時に、中国との2国間では、例えばエネルギー・気候変動分野で、相互に受益が可能な分野を今日の国際エネルギー情勢の中で新たに模索し、その実施に向けて対話と協力を進めていくことも重要となる。

まとめ——中国の重要性

■ エネルギー需要面

・2020年時点で、エネルギー消費は世界1位（シェア26％）
・石油消費は世界2位（同16％）。石炭消費はシェア54％の圧倒的1位
・近年、エネルギー需要は堅調に増加
・2020年も世界が低迷する中、対前年伸び率はエネルギー2％
・コロナ禍でもエネルギー需要増は継続、世界での存在感さらに上昇
・2020年CO_2排出量は1％増で世界1位（シェア31％）

■ エネルギー供給面

・国内石油生産は伸び悩み。1993年に石油純輸入国化して以来、石油輸入は大幅増加
・ガス、石炭も自給体制から輸入へ
・再生可能エネルギー推進。原子力も拡大

■その他（政策面等）

・政治・経済・エネルギー面でますます増大する影響力
・高まるプレゼンスと「主張する外交」に対する警戒感
・米中対立は「新冷戦」へ。米欧と中露の対立軸も
・ウクライナ危機で、中ロ関係にも影響
・エネルギー安全保障強化のためのアグレッシブな戦略展開とその影響
・温暖化政策の展開と国際交渉への取り組みの先行き

3　ロシアの重要性――エネルギー輸出の巨人

①エネルギー需給面での重要性

エネルギー需給におけるロシアの重要性は、もちろん、供給者としての重要性にある。2020年時点で、ロシアの石油生産は1067万B／Dで世界3位（米国、サウジアラビアに次ぐ）、そのシェアは12％である。他方ガスの生産量は6385億立米で米国に次ぐ

世界2位、シェアは17％である。また、輸出面においてもロシアは重要であり、世界の総輸出に占めるロシアのシェアは、石油11％、ガス25％、石炭18％であり、ガスは世界最大の輸出国である。化石燃料合計では、ロシアは世界最大の輸出国である。

ロシアのエネルギー輸出は、歴史的経緯・地理的近接性・インフラ整備状況などの要因から、欧州向けがその中心となっている。近年、ロシアにとっての輸出先多様化の取り組みで、中国向けを始めアジア市場への販売が拡大してきたが、やはり欧州市場がロシアにとっては最重要な販路である。そして、その欧州市場にとって、ロシアは、石油・ガス・石炭の最重要の供給者となっている。

なお、ロシアは原子力大国でもあり、とりわけ近年は国営原子力会社、ロスアトムによる海外原子力事業の積極展開が目立っている。

ロシアは世界4位のエネルギー消費国でもある。2020年のエネルギー消費量は28・3EJでその世界シェアは5％となっている。一次エネルギー消費構成においては、ガス52％、石油23％、石炭12％、原子力7％、水力7％となっており、豊富な国内資源であるガスの消費割合が非常に高い特徴ある消費構造となっている。

②国際政治・地政学の面での重要性

ロシアは米国に次いで強力な核戦力を保有する軍事大国であり、国際政治・外交・安全保障などの面で、世界に対する重要な影響力を有する国家である。ロシアによる対米政策、対中政策、対欧州政策が世界の地政学を左右する重要な要素であることに疑いはない。また、ロシアの中東政策や中央アジア政策も、特にエネルギー地政学を左右する重要な要素である。

2000年に就任したプーチン大統領は、首相を経て再び大統領職に就き、20年以上の長期政権を運営している。プーチン体制の権威主義的傾向が強まる中で、欧米との関係は徐々に総じて緊張が高まり、厳しさを増す方向に向かってきた。2014年のウクライナ紛争とクリミア併合でG8から排除され、経済制裁下に置かれるようになった。ウクライナ危機の発生によって欧米との対立は決定的に厳しくなったが、今回の危機でロシアの存在感の大きさを世界は改めて再認識することになった。

ロシアは、自国のエネルギー輸出・供給が持つ戦略的価値・重要性を十分に理解し、その活用を通して、国益の追求・最大化を図っていると考えられる。そのため、強力な国営エネルギー企業または国家意思との疎通が図られる企業が、国際エネルギー市場で重要なプレゼンスを有する体制となっている。

エネルギー部門がロシアにとって非常に重要であり、国力の源泉の一つとなっているだけに、逆にエネルギー部門で発生する問題はロシアの脆弱性《ぜいじゃくせい》につながる問題でもある。原油価格などエネルギー価格が低下すれば、ロシア経済には下押し圧力が発生し、主力販売先である欧州市場で、脱炭素化が進み化石燃料消費が減少すれば、ロシアは対応を迫られる、といった問題である。もちろん、逆にエネルギー需給が逼迫《ひっぱく》し、価格高騰の続く世界となれば、エネルギー供給者としてのロシアの重要性は世界で、そして欧州で高まることになる。

③ ウクライナ危機対応の面での重要性

ウクライナ危機の今後の帰趨において、戦争当事者であるロシアの今後の対応が戦争の帰趨を左右することは当然である。軍事・外交・政治面での、対ウクライナ、さらには対欧米のロシアの戦略で、戦争が拡大するのか、長期化するのか、終結するのかが大きく左右されることになる。時には「核の脅し」さえも躊躇《ためら》わないロシアの今後の対応が戦争の帰趨を握る一つの重要なポイントである。

また、国際エネルギー市場全体においても、特に欧州市場においても、極めて重要なポジションを占めるロシアのエネルギー輸出について、ウクライナ危機の深刻化の中で供給支障や途絶が発生する可能性が認識され、エネルギー市場の不安定化と価格高騰がもたらされた。ウクライナ危機の中で、ロシアの、そしてロシアのエネルギーの重要性がまさにクローズアップされたのである。

最近時点までは、ロシアのエネルギーに対しては、欧米側がより積極的に禁輸や輸入停止措置などについて、取り組みを強化してきていた。しかし、4月27日にロシアはポーランドとブルガリアに対して、両国がロシアの求めるガス代金のルーブル払いに応じなかったとの理由でガス供給を停止した。その後、「ヤマル欧州パイプライン」での供給停止や「ノルドストリーム1」パイプラインの供給削減など、ロシアの動きが注目されている。今後ロシアがガス供給停止を拡大するような場合、エネルギー市場は一気に逼迫し、価格高騰につながる可能性がある。ロシアの今後の対応には要注目である。また、対日本ではサハリン2プロジェクトやそのLNG輸出に対するロシアの政策が注目される。

なお、ウクライナ危機の結果、ロシアの孤立化が進み、経済的にも弱体化が進むことで長期的にはロシアの国力がおとろえていく、と見る向きも多い。ロシアの国力低下は世界の地政学情勢にとって長期的に大きな影響を及ぼしうる問題である。

④日ロ関係の重要性

ウクライナ危機は、日ロ関係に大きな影響を与えた。安倍政権期には、平和条約の締結と領土問題解決を目指した日ロ間の議論・交渉が数多くの首脳会談を含め、多年にわたって実施されてきた。経済協力プランの実施などで、日ロ間の協力を進めることが問題解決の糸口の一つになるとも期待されたが、実際には、問題は膠着《こうちゃく》し、進展は見られなかった。

ウクライナ危機によって、日本はロシアの軍事侵攻を力による現状変更の試みであると断じ、強く非難する姿勢を取った。対露経済制裁についても、日本のエネルギー安全保障面における脆弱性を考慮しつつ、基本的には欧米と一体的に対露制裁強化に取り組んでいる。ロシア側は、日本の対応を非難し、日本を非友好国とした。現時点ではこうした状況の下、日ロ間の懸案事項を個別に議論するような状況では全くなくなっている。むしろ、日ロ関係について、今回のウクライナ危機を踏まえて、改めて戦略の抜本的立て直しを図る時期と捉え、危機の帰趨や今後のロシアの世界における位置などを見据えながら、冷静な戦略分析が必要になるものと思われる。

新たな国際情勢の下で、ロシアが日本をどう見るのか、ロシアにとっての国際情勢(対米、対中国、対欧州などの国際環境)がどうなり、その中でのロシアにとっての日本の位置づけがどうなるか、等について日本は客観的で正確な分析が求められる。日ロ双方にとって、新情勢に対応した戦略で日ロ関係を模索することになるだろう。

まとめ――ロシアの重要性

■エネルギー供給面

・石油資源は世界の6%、ガス資源は20%。石油は世界6位、ガスは1位
・2020年の石油生産は1067万B/D、世界の12%(第3位)
・ガス生産は6385億立米、世界の17%(第2位)
・石油輸出は、743万B/D、世界の11%
・ガス輸出は、2381億立米、世界の25%
・石油・ガスともに主に欧州向けに輸出。アジア輸出も増加

・欧州の構造的需要鈍化と対露経済制裁に直面

■ **エネルギー需要面**

・旧ソ連崩壊後、エネルギー需要は低迷。輸出余力増大
・天然ガスに偏ったエネルギー消費構造（一次エネルギーにおけるシェアは52％）

■ **その他**（政策面等）

・長期政権化するプーチン政権の政権運営の先行き
・ウクライナ危機で先進国と対立激化。厳しい経済制裁
・ウクライナ危機による孤立・ロシア経済・エネルギー部門への影響
・中国への接近と中ロ関係でのパワーバランス
・石油・ガス部門への国家管理強化
・新規輸出市場の開拓・開発に関する政策
・主力欧州市場の確保とのバランス
・アジア市場の重要性（中国市場の重要性。インドへの接近）

4 欧州の重要性——気候変動対策、ウクライナ危機で世界激変の中心に

① エネルギー需給面での重要性

欧州（EU）は、地域としては中国、米国に次ぐ、世界3位の一次エネルギー消費大国（地域）である（国としてはインドが3位）。EUの2020年の一次エネルギー消費量は55・7EJで、世界に占めるシェアは10％である。2020年の一次エネルギー構成は、石油36％、ガス25％、再生可能エネルギー13％、原子力11％、石炭11％、水力5％であり、化石燃料が供給の圧倒的中心ではあるものの、そのシェアが73％と他の先進国・地域と比して低い。

国際エネルギー貿易財として重要な石油と天然ガスについては、EUの消費の世界シェアは石油12％で3位（米国、中国に次ぐ）、天然ガス22％で3位（米国、ロシアに次ぐ）となっている。また、EUは原子力と再生可能エネルギーでも、地域としては世界2位の位置を占めている。

EUのエネルギー消費は、基本的に鈍化・低下傾向にあり、2008年以降はそれが顕

在化している。2020年には、コロナ禍の影響で、前年比6%減と大幅に低下した。また、エネルギー起源CO_2排出量は2020年には25・5億トンであり、世界シェアは8%(3位)である。

エネルギー需給面におけるEUの特徴・課題は、域内の化石燃料生産が減少傾向を持続する中、基本的に輸入依存度が大きく高まっていることである。北海の石油・ガス生産の低下、オランダにおける政策的なガス生産の縮小などによって、欧州の輸入依存度は石油で約7割、ガスで約6割に達した。この中で、特に輸入相手先として最も重要なのがロシアである。欧州のロシア産エネルギーの輸入依存度(全輸入に占めるロシア産の比率)は、石油33%、ガス57%、石炭50%であり、いずれもロシアが最大の供給者である。

輸入市場として、石油・ガスでは欧州は巨大市場であり、その市場動向や関連する政策動向は世界のエネルギー地政学を左右する重要な要因である。

②国際政治・地政学の面での重要性

多様な国からなる欧州・EUの国際政治・地政学における重要性の一つは、欧州が一体となり、EUとして様々な問題に取り組む、という地域統合アプローチにある。EUからは英国が離脱し、近年の移民問題や経済問題などで、欧州にとっては「遠心力」が強く働く局面も見られてきた。欧州の統合は決して簡単なものでなく、今後にも様々な課題があるが、欧州各国が一体的アプローチで世界大の問題、地域の問題に取り組もうとすること、そのこと自体が欧州の重要性である。

また欧州は、一体的アプローチを通して、気候変動防止や人権・民主主義などの理念を追求し、それを世界に広めていく、という取り組みでも世界に様々な影響を及ぼしている。気候変動の分野では、欧州・EUは最も積極的な取り組みを唱導し、世界をリードしようとしている。欧州発の世論・議論が、こうした問題で世界の動きを牽引《けんいん》していくことが多々見られるところに欧州の重要性がある。

外交・安全保障・国際政治／交渉・文化などの分野では、長い歴史と経験に支えられた欧州の底力は容易ならざるものであり、これらの分野で世界を主導できるだけのものである。これらの欧州の力が、同盟関係や連携によって強化される時には、特に世界を動かしうる大きな力になり、欧州の動きが世界をリードしていくこともしばしば見られる。

③ ウクライナ危機対応の面での重要性

ウクライナ危機の発生・深刻化の中、欧州諸国はこの危機を自らの問題と真剣に捉え、経済制裁など対ロシア戦略を強化してきた。ロシアのエネルギーに依存する欧州にとって、エネルギー分野での制裁実施・強化は、自らにも極めて大きな負担と打撃となる「返り血」を覚悟せざるを得ないため、当初は、慎重な対応が目立った。

しかし、危機の深刻化とウクライナの被害の拡大に直面し、EUはまず石炭の禁輸を発動、次いで石油についても、2022年内での輸入停止方針を提案し、後に合意する、などの動きを示している。また、ガスについても2030年（前倒しも含め）までにはロシア依存脱却を目指すなど、着々と対応を強化しており、EUによるロシア制裁の強化が世界の注目を集めている。またロシアからのガス供給の途絶に対しては、石炭火力の活用など「有事対応」も視野に入れている。

欧州によるウクライナへの支援も、経済支援、難民受け入れなどから、徐々に軍事的な支援へと拡大・強化されており、その動向が今後の危機の帰趨にも大きく影響していく可能性がある。

④日欧関係の重要性

民主主義・人権を重視し、法の支配を求める点において、日本と欧州は立場を一つにする関係にある。今回のウクライナ危機によって、日欧関係は従来以上に戦略的連携関係の強化が進むことになったものと思われる。日本は、アジアを代表する先進国として、ウクライナ危機への対応に参加し、力による現状変更を認めない立場を堅持して、欧州及び米国と一体になった取り組みを進めようとしている。

日欧間での外交・安全保障面での協力が進展することは、対ロシア問題や対中国問題などへの対処においても、今まで以上に重要な力を発揮する要素になりうる。

エネルギー面においても、日欧間の協力は、米国との協力と合わせて、国際エネルギー市場の安定と秩序維持のための体制整備・強化に向けた重要な役割を果たしうる。2022年のドイツ・G7サミットを経て、2023年の日本・G7サミットなどの場では、日欧そして米の間で、エネルギー安全保障強化と気候変動対策強化の両立を図る、総合的で、包括的な戦略実施のための建設的な議論を進めることが重要になる。

まとめ――欧州の重要性

■エネルギー需要面
・EUの2020年の世界におけるシェアは、エネルギー全体10％、石油12％、ガス12％
・2008年以降は、エネ全体需要は減少傾向を強める（2009年6％減）、2020年は9％減

■エネルギー供給面
・域内（北海）の石油・ガス生産は減少し、全体として輸入依存度増大
・石油・ガス供給面での高いロシア依存度
・再生可能エネルギー拡大が持続

■その他（政策面等）
・ウクライナ危機で激震する欧州

・安全保障・エネルギー安全保障重視へ。ロシアからの脱却が急務に
・温暖化問題への積極的な取り組み（国際的議論をリード）
・欧州委員会、2030年GHG55％削減、2050年カーボンニュートラル目標
・脱炭素化への取り組みをリード
・欧州（EU）市場の形成と自由化政策
・欧州（EU）の政策と欧州主要国の政策調整

5 中東の重要性——その安定が国際エネルギー情勢を左右する

① エネルギー需給面での重要性

中東の世界のエネルギー市場における重要性は、ロシアの場合と同様に供給者としての重要性にある。2020年時点で、中東の石油生産は2766万B／Dで地域としては世界1位、そのシェアは31％である（国としては米国が1位）。ガスの生産量は6866億立米で、地域として米国に次ぐ世界2位、シェアは18％である。特に、石油輸出面においての中東の重要性は際立っており、世界の総輸出に占める中東のシェアは34％に達している。

また、LNGの輸出シェアも26％と世界最大の輸出地域となっている。

中東の石油輸出は、世界の需要を満たす役割を果たし続けており、かつては石油の3大市場、米国・欧州・日本を中心としたアジアにバランス良く振り向けられていた。今日でも、中東からの石油供給は欧米で重要性を保っているが、アジアの需要拡大、特に中国など新興国や途上国の需要増大に対応して、アジア向け輸出が極めて重要になっている。

中東のエネルギー需給における重要性として特筆すべきなのは、サウジアラビアや他の湾岸産油国が保有している余剰生産能力の存在である。世界の余剰生産能力のほとんどが中東に存在しており、いざという時の市場安定化装置として、重要な役割を果たす機能を有している。余剰生産能力が存在している、ということは裏を返せば、中東が国際石油市場の需給調整を実施している、ということである。現在は、需給調整はOPECプラスの協調で行われているものの、余剰能力の管理は基本的に中東産油国が実施し続けている。

中東のエネルギー消費も大きく拡大する傾向にある。2020年のエネルギー消費量は地域全体として36・4EJでその世界シェアは7％と、インドより大きい。中東のエネルギー消費は、経済成長、人口増加、政策的な低価格等に支えられ、大きく増加してきた。中東にとって経済を支える重要なエネルギー輸出を維持するためにも、拡大するエネルギー消費、特に石油・ガス消費を抑制することが重要になっている。そこで、省エネルギー、再生可能エネルギー、原子力等の導入が重視され、そのための国際協力・ビジネスが世界の関心を集めている。

②国際政治・地政学の面での重要性

中東の国際政治・地政学上の重要性、特にエネルギー地政学における重要性は、そのエネルギー供給者としての重要性と中東情勢の流動化・不安定化・不透明化の組み合わせによって生ずるものである。

国際エネルギー市場の不安定化の歴史を見ると、その多くは中東情勢の不安定化と密接に結びついている。中東の安定・不安定の度合いが国際エネルギー情勢を左右する最重要ポイントであり続けてきたのである。

そして、もう一つ重要なのは、現在でも中東には様々な、不安定化の可能性・リスク要因が存在しており、その展開次第で再び国際エネルギー市場が動揺する可能性がある、ということである。そのリスク要因としては、イランの核開発問題と米国・イランの関係、サウジアラビアと米国バイデン政権の関係、イエメン問題、シリア問題、パレスチナ問題など枚挙に暇《いとま》がなく、中東情勢には課題が山積している、ともいえる。

従来は中東情勢の安定に米国の関与が重要な役割を果たしてきたが、その米国の影響力が徐々に低下し、その中でバイデン政権の中東政策が対イラン、対サウジアラビアなどでどのような影響を及ぼすのかに世界の関心が集まっている。また、その中で中東に対する影響力の強化を図る中国やロシアの動きもあり、中東情勢はますます複雑化しており、今後の予断は許されない状況にある。

また、別の視点として、世界が脱炭素化への取り組みを強化する中、石油・ガスに依存する経済構造を持つ中東産油国にとっては、長期的な将来に向けた重要な課題として、経済構造の多様化・高度化が一層重要になっている。その一環で、化石燃料の脱炭素化によって、CO_2フリーの水素・アンモニアの生産・輸出の可能性に期待する産油国もあり、その実現の可否が、世界の脱炭素化の帰趨に影響すると共に、中東産油国の将来にも大きなインパクトを有する可能性がある。

③ ウクライナ危機対応の面での重要性

端的に言えば、ウクライナ危機で国際エネルギー市場が不安定化し、価格高騰と需給逼迫が顕在化すればするほど、世界で最も重要な石油・ガス供給源としての中東の重要性は高まることになる。特に、石油市場においては、万が一のロシア産石油の供給支障・途絶の発生の場合には、国家首脳の意思決定次第で速やかに追加増産が可能となる余剰生産能力を保有する国の戦略的重要性は極めて高くなる。

まさにその象徴がサウジアラビアである。当面の、そして今後の国際石油市場の安定に関しては、万が一の「有事」の際には余剰生産能力を活用した緊急的な増産においても、通常時の需給バランス維持と原油価格高騰の抑制という面でも、サウジアラビアと中東湾岸産油国の動向がカギを握る。

ウクライナ危機で最も需給逼迫が懸念される天然ガス・LNG市場においては、世界最大級のLNG供給者であるカタールの対応が重要となる。今後のカタールのLNG供給拡大の可能性は、米国のそれと共に国際ガス・LNG市場の安定を左右していくことになろう。

④日本・中東関係の重要性

エネルギーの安定供給確保が最重要課題である日本と、エネルギー需要セキュリティが重要な中東は、相互依存関係にある。日本の石油・LNG輸入は徐々に低下する方向にあるが、未だにその市場規模は決して小さくなく、輸出国にとっては重要な輸出先ポートフォリオの一つである。日本にとって、中東が供給源として最重要であることは不変の事実である。

日本と中東は、石油やLNGの貿易関係においてのみ、結び付いているわけではない。特に最近になって、将来を見据えた経済構造の多様化・高度化に取り組もうと注力するサウジアラビアなどと日本は、その分野での協力において、お互いを必要とする重要な相互関係を再確認し重視するようになっている。先述した通り、化石燃料の脱炭素化に成功すれば、日本にとっても、産油国にとっても、世界にとっても重要な意味を持つ貢献となる。

また、ウクライナ危機の中で世界のエネルギー地政学が複雑化する中、国際エネルギー秩序を維持・強化するための国際協力の推進・再構築が重要となっている。その中で日本が中東産油国・産ガス国と、米国や欧州などの主要消費国の産消対話促進の面で積極的な仲介的役割を果たすことができれば、国際エネルギー秩序への重要な貢献となろう。

まとめ――中東の重要性

■エネルギー供給面

・石油資源は世界の48%、ガス資源は40%、地域として世界最大（2020年末時点）
・2020年石油生産は、2766万B／D、世界の31%
・ガス生産は、6866億立米、世界の18%
・石油輸出は、2194万B／D、世界の34%
・LNG輸出は、1269億立米、世界の26%

■エネルギー需要面

・経済成長、人口増、低エネ価格で消費急増

■その他（政策面等）

・地域の安定性は国際エネルギー市場安定の鍵（石油危機は中東不安定化から発生）

・現実には、地域内外で様々な不安定要因・リスクが顕在化
・サウジ・イラン問題、イラン核合意、サウジ国内体制、シリア・イエメン問題、バイデン政権発足の影響
・現時点では、イラン情勢、バイデン政権との関係が重大問題に
・中東主要国の石油政策が国際石油市場の需給バランスを左右
・シェール革命による国際エネルギー需給及び地政学への影響とその対応
・増大する域内石油・ガス需要への対応のため、省エネ・代エネへの関心
・今後大幅に需要が増大するアジアとの関係は極めて重要

6 インドの重要性――その成長が世界のエネルギー消費を牽引する

① エネルギー需給面での重要性

インドは、中国、米国に次ぐ世界3位の一次エネルギー消費大国である。その2020年の消費量は32・0EJで、世界に占めるシェアは6%である。2020年の一次エネルギー構成は、石炭55%、石油28%、ガス7%、水力5%、再生可能エネルギー4%、原子

力1％であり、石炭の割合が圧倒的に高く、化石燃料全体で9割のシェアとなっている。

インドが世界有数のエネルギー消費国となっているのは、中国の場合と同様にその巨大な石炭消費によるところが大きい。なお、近年の需要増加で、インドの石油消費も世界シェアが5％で、国別では米国、中国に次いで3位となっている。

インドのエネルギー消費は、基本的に増加傾向を辿っているが、2020年のコロナ禍による甚大な影響のため一次エネルギー全体で6％の減少となった。しかし全体として傾向的な需要増加によって、インドは世界での存在感を高めてきている。CO_2排出については、2020年の排出量は23・0億トンとなり、世界シェアは7％で中国、米国に次ぐ3位であった。

エネルギー需給面においてインドが特に重要なのは、長期的に見て、インドが今後のエネルギー需要の増加の中心になり、中国に代わって世界の需要増を牽引する、と見られていることである。過去20年余りにわたって、そして現時点と当面の将来において、中国がこの面で果たす役割は極めて大きいし、大きかった。それをインドが長期的な将来において果たしていく、という期待が大きいのである。

もう一つは、既にここまでのエネルギー消費増加で、インドは巨大なエネルギー輸入大国になっている、ということである。インドのエネルギー純輸入依存度は高く、2020年時点で既に石油85%、ガス55%、石炭32%となっている。

インドにとっては、エネルギー安全保障は現在でも重要課題であり、安定供給確保と手頃な、低廉な価格での調達確保が重要である。今後の長期的な需要拡大で、インドのエネルギー輸入がさらに増大していくことは、国際エネルギー市場全体にとって、そしてインドの安定供給確保にとって、極めて重要な問題になる。

②国際政治・地政学の面での重要性

インドはアジアの大国として、世界第二の人口を持つ国として、歴史的にも大きな存在感を有してきた。そのインドは、今後、中国に代わって世界経済の成長や国際エネルギー市場における需要増大の牽引に重要な役割を果たすことが期待され、その面で、世界経済・国際政治の面での影響力を高めていくことが予想されている。

インドは、中国の存在感が高まれば高まるほど、中国との対抗という観点で、日本・米国・欧州・ロシア・中東などから見て、その戦略的な重要性・価値が高まる状況にある。インドは中国とは、外交・安全保障・国際政治などの面で競争・ライバル関係に立つ面もあり、国境紛争も存在している。他方、中国との経済協力はインドにとっても重要であり、中印関係は複雑である。しかし次なる「巨人」としてのインドへの期待が大きく、かつ中国との対抗関係を考える上で、地政学的戦略ポジションに立つインドの重要性は今後一層高まっていくことになる。

長期的な成長と発展が期待される一方で、インドには固有の様々な課題もある。複雑な社会制度、膨大な貧困人口の存在、格差などが成長・発展の阻害となっている面も指摘されている。モディ政権下のインドがこれらの構造的課題と共に、コロナ禍やエネルギー価格の高騰などの今日的問題を克服し、安定的な経済・社会発展を実現できるかどうかで、インド自身も、世界も大きな影響を被ることになる。

③ウクライナ危機対応の面での重要性

インドはロシアと歴史的に関係を維持しており、軍事・経済面での協力関係も存在している。ウクライナ危機への対応には、インドは慎重であり、対露経済制裁に関しても、インド自身の国益追求を優先している。

今後ロシアのエネルギー輸出禁輸が拡大・強化されていく場合、ロシアから見れば、インドは中国と並んで重要な代替販路となる。その際、インドは、ロシアから有利な条件の下でエネルギー調達を図る取り組みを進めることが予想される。インドや中国によるロシア産エネルギー輸入の拡大は、ロシアのエネルギー収入に大きな影響を及ぼす要因となる。

他方、インドがエネルギー輸入維持・拡大を通じて、ロシアを支援する、という面が過度に顕在化すると、インドと欧米の関係が難しくなる。対中国戦略も睨《にら》みながら、インドの協力を取り付けるための様々な働きかけが主要国から行われることになる。その意味において、インドの対外的「バーゲニングポジション（交渉上の地位）」が強化されていく可能性がある。

④日印協力の重要性

日印関係は基本的に重要・良好であり続けてきたが、現在の国際情勢の下、その一層の強化が両国にとって重要となっている。対中国問題及びウクライナ危機対応の双方にとって、日本とインドが協力していくことは双方にとって極めて有意義で重要である。日印が参加する多国間協力の枠組み、ＱＵＡＤ（日米豪印）における協力も、同じ文脈においてさらなる推進強化が求められる。ウクライナ危機対応では、インドに対して、Ｇ７と一体的な協力に適切に参加することがインドの国益に適《かな》うことについて、対話を通じて理解促進を図っていく必要がある。

また日印間では、インドの発展と成長に対する日本の協力とそれに関連するビジネス機会の拡大を組み合わせ、相互受益の関係を構築し、強化する必要がある。日印協力の成功は、両国にとって、そして世界にとって、発展と安定に貢献する重要性を有している。

まとめ——インドの重要性

■エネルギー需要面

・2020年時点で、エネルギー消費は世界3位（シェア6%）。石油も第3位（シェア5%）、石炭2位（12%）

・近年、エネルギー需要は着実に増加

・しかし、2020年は対前年比で、一次エネルギー6%の減少。再エネは8%増

・将来の成長ポテンシャルは中国以上、エネルギー需要は長期的に大幅に増加

・2020年のCO_2排出は7%減で世界3位（シェア7%）

■ エネルギー供給面

・国内石油・ガス生産は需要増に追いつかず輸入依存度は上昇基調
・地理的近接性から中東からの輸入が中心
・原子力発電、再生可能エネルギーの積極的推進

■ その他（政策面等）

・米国・ロシア・中国・中東との戦略的（地政学的）関係
・高まる中国のプレゼンスに対する警戒感
・今後のさらなる経済成長に対する期待の存在
・ウクライナ危機での対応に世界が注目
・複雑な社会制度、貧困、エネルギーアクセス問題の存在
・温暖化政策の展開と国際交渉への取り組みの先行き

第8章

日本の課題と対応戦略

本書ではここまで、2021年後半以降のエネルギー価格高騰、それを加速化し著しい市場不安定化をもたらしているウクライナ危機、その結果として世界で急速に重視されるようになったエネルギー安全保障強化の取り組み、その取り組みが脱炭素化の動きに及ぼす影響、国際エネルギー秩序の現状と課題、世界のエネルギー地政学を左右する主要国の動きと相互関係等について論じてきた。

以下では、それを踏まえ、日本がとるべき対応戦略について考察し、提言を取りまとめる。そのため、前半部分では、日本のエネルギー情勢の現状と問題点及びエネルギー政策の課題をまとめる。その上で、後半部分において日本の対応戦略について提言をまとめる。

1　日本のエネルギー問題とエネルギー政策の課題

世界有数のエネルギー消費・輸入大国である日本は、エネルギーの安定供給確保を図り、エネルギー利用に関わる環境負荷を軽減して地球温暖化防止に貢献し、日本経済・社会・産業を守るため可能な限りエネルギーコストを抑制していくことが求められている。また、その前提として、福島原発事故の教訓を踏まえ、エネルギーに関わる安全性を前提とした取り組みを進めることが求められている。

日本は世界5位のエネルギー消費大国である。2020年の日本の一次エネルギー消費は、17・0EJで、世界に占めるシェアは3%、中国、米国、インド、ロシアに次ぐ消費量となっている。なお、石油消費に関しては、米国、中国、サウジアラビアに次ぐ4位、石油輸入量は、中国、米国、インドに次ぐ4位、LNG輸入に関しては1位であった。ただし、2021年にはLNG輸入も中国に抜かれて2位となっている。このように、現時点において、日本は世界有数のエネルギー消費・輸入大国の地位を占めている（図8－1）。

ただし、日本のエネルギー消費・輸入量は基本的に減少傾向にある。日本経済の成長が相対的に低く、エネルギー消費効率の改善が進んでいることが背景にある。消費量・輸入量の絶対値はまだ大きいがそれが縮小傾向にある中で、中国・インド・ASEANなどの成長市場と比較して、相対的には国際エネルギー市場でのシェア・存在感が低下している。

2020年の日本の一次エネルギー構成は、石油38%、石炭27%、ガス22%、新・再生可能エネルギー7%、水力4%、原子力2%となっている。化石燃料のシェアは87%とエネルギー供給のほとんどを占めている。

日本は化石燃料の国内生産に乏しいため、これらの供給は基本的に海外からの輸入に依存している。その結果、2020年時点での日本のエネルギー自給率は13%となっており、

図8-1　日本のエネルギー需給構造の特徴と課題

■世界有数のエネルギー消費・輸入大国

- エネルギー消費：世界5位、石油消費：世界4位、石油輸入：世界4位、LNG輸入：世界1位（2020年）
- ただし、世界におけるシェア、順位は低下
- 成熟した市場。市場としての安定感・信頼性は高い

■エネルギー供給のほとんどは化石燃料

- 2020年のシェア：石油38%、石炭27%、天然ガス22%、新エネ7%、水力4%、原子力2%等（2010年度は原子力11%であったが福島原発事故後大きく減少）

■低いエネルギー自給率（高い輸入依存度）

- 水力・新エネ・原子力合計で13%。自給率も先進国の中で極めて低位

■石油供給のほぼ全てを輸入に依存

- その他、天然ガス、石炭も輸入依存

■石油輸入における高い中東依存度

- 原油輸入の90%は中東からの輸入（2020年）
- LNGは震災後、中東依存は約3割まで増大（2020年16%）

（出所）筆者作成

先進国の中では著しく低位にある。自給率の低さは、国際エネルギー情勢に日本のエネルギー安全保障が大きく左右されることを意味しており、エネルギー安全保障面での脆弱性《ぜいじゃくせい》となっている。また、最大のエネルギー源である石油については、中東依存度が非常に高く、2020年の原油輸入中東依存度は90%となっている。

また化石燃料がエネルギー供給の中心であることから、日本はCO_2の主要排出国でもある。2020年の排出量は、10・3億トンで世界シェアは3%、中国、米国、インド、ロシアに次ぐ第5位の排出国である。

日本にとってエネルギー安全保障確保は常に最重要課題であり続けてきた。特に1970年代の石油危機を契機にエネルギー安全保障政策を強化し、石油依存度の低減、省エネルギー推進、エネルギー源多様化、石油・ガスなどの海外自主開発促進、石油備蓄整備、産油国との関係強化などの対応策を進め、一定の成果を上げてきた。

1990年代からは地球温暖化防止の取り組み強化も日本にとって重要なエネルギー政策課題となり、原子力の推進、LNGの利用拡大などが進められてきた。また、この時期から、エネルギー市場の自由化・規制緩和が本格化し、エネルギー市場に競争を導入して市場効率の追求を図る取り組みも進められた。

2000年代に入って原油価格上昇期を迎え、再びエネルギー安全保障への関心が高まる中、2002年には「エネルギー政策基本法」が定められ、3つのE、すなわちEnergy Security（エネルギー安全保障や安定供給の確保）、Environment Protection（温暖化防止など環境保全）、Economic Efficiency（経済効率の追求）の同時達成を図ることがエネルギー政策の基本方針となった。この基本方針を具体化する日本のエネルギー政策の長期目標がエネルギーミックス目標として明示されることになり、概《おおむ》ね3年ごとに改定される「エネルギー基本計画」として提示されることとなった。

2003年の第1次エネルギー基本計画以降、累次の改定が重ねられたが、2011年3月に東日本大震災と福島原発事故が発生し、日本のエネルギー政策の総点検が行われることになった。それを踏まえた「第4次エネルギー基本計画（2014年）」では、3つのEに加えて、安全性（Safety）が前提条件とされ、「S+3E」の同時達成を目指すことが日本のエネルギー政策の基本方針として改めて明示されることになった。

その後の内外エネルギー情勢やそれを取り巻く国際情勢を踏まえ、「第6次エネルギー基本計画」策定の議論が2020年以降精力的に進められた。コロナ禍の影響とエネルギー市場の不安定化、そして何より、世界の脱炭素化・カーボンニュートラル実現に向けた取り組みの盛り上がりの中で政策論議が進められ、2021年10月に同基本計画は閣議決定された。

「S＋3E」が基本方針ではあるものの、今般の基本計画改定で、最も重点的な課題となったのは環境のEであり、CO_2排出削減目標に整合するエネルギー政策策定という点であった。これは、2020年10月に菅《すが》総理（当時）が日本の2050年カーボンニュートラル目標を表明し、2021年4月にはバイデン政権主催の気候サミットで2030年のGHG排出削減目標を従前の26％から46％に一気に引き上げることを表明したためである。

もちろん、他の2つのEについても、日本のエネルギー自給率を2030年に30％とすること、電力コストの上昇を可能な限り抑制すること、などの目標が同時に示されている。しかし、今回のエネルギー基本計画の改定に当たっては、気候変動対策の目標が最初にトップダウンで定まり、それをエネルギー需給の面でどう実現するか、というアプローチで議論が進んだ感は否めない。

いずれにせよ、閣議決定された第6次エネルギー基本計画では、2030年目標達成のため、省エネルギーを改定前の目標から2割増拡大（エネルギー削減の量を約5000万キロリットルから6200万キロリットルへ増加）、電源構成における再生可能エネルギーのシェアを36〜38％に増加、原子力のシェアを20〜22％で維持、水素・アンモニアのシェアを1％と初めて数値目標化、などの具体的数値目標が示された。2050年カーボンニュートラル実現のための具体的な数値目標は示されなかったが、基本計画改定のための審議会の議論においては、2050年の電源構成で、再生可能エネルギーのシェアを50〜60％、原子力と二酸化炭素回収貯留技術（CCS）付きの火力の合計で30〜40％、水素等で10％、という議論のたたき台の案も提示された。今後は、これらの目標をいかに実現していくか、が問われていくことになる。

多方、このエネルギー基本計画の議論が固まるまでの時期は、世界的にエネルギー問題の関心がカーボンニュートラル対応一色に染まっていたものの、その後世界の情勢が大きく変わったことに留意する必要がある。

2021年後半以降は、世界的に同時多発的エネルギー価格高騰が発生、エネルギー安定供給確保への関心が急速に高まることとなった。先進国が相次いで、エネルギー価格高騰対策を導入・強化し始めたのが2021年10月以降のことである。

さらに、この問題をより複雑に、深刻にしたのがウクライナ危機である。国際エネルギー市場における価格が一気に高騰し、市場は急速に不安定化した。その原因が、エネルギー地政学の問題にあり、国際エネルギー秩序が根本から動揺する状況の下、日本を含め全てのエネルギー消費国にとって、エネルギー安全保障確保の重要性が一気に高まったのである。

また、日本では、国際エネルギー情勢とは別に、エネルギー安定供給面での課題も浮上した。2022年3月には、東京・東北地域において、火力発電能力の脱落と寒波・気象状況による太陽光発電の不調及び電力需要の急増で、深刻な電力需給逼迫《ひっぱく》が発生し、電力安定供給問題が社会の関心を集めた。さらに、同年6月末にも猛暑下で電力需給が一気に逼迫し、大きな社会問題となった。今後も本年以降の夏期や冬期に電力需給が逼迫する可能性が指摘されている。

今後は上述の内外新情勢を踏まえたエネルギー政策面での取り組みが不可欠になっていく。以下では、今後の日本の内外エネルギー政策について、日本を取り巻く、厳しく不透明な環境に対応する戦略に関して10の提言をまとめる。

2　日本の内外エネルギー戦略に関する10提言

①エネルギー安全保障の重要性を再認識したエネルギー政策を追求せよ

日本にとって、エネルギー安全保障は最重要の課題である。もちろん、「S＋3E」の同時達成を目指すことの重要性は変わらない。しかしその中で、今の日本を取り巻く国際情勢・地政学環境を踏まえ、エネルギー安全保障の重要性を改めて再認識し、エネルギー政策の遂行に当たる必要がある。

ウクライナ危機によるエネルギー市場不安定化はすぐには解決せず、一定期間はその影響や余波が残り続ける可能性が高い。仮にこの危機が終息に向かうにせよ、国際エネルギー秩序の動揺、エネルギー地政学情勢の不透明化と緊張の高まりが、今後のエネルギー情勢のキーワードになっていくものと思われる。脱炭素化に向けた取り組みを着実に進めつつ、エネルギー安全保障確保のため、エネルギー自給率の向上・エネルギー源・輸入源の多様化・供給国との関係強化・緊急時対応能力の強化に向けて、引き続き政策資源を適切に投入していくことが求められる。

国内でのエネルギー供給の強靭性《きょうじんせい》・柔軟性を高めるため、供給力と供給余力確保の投資を促進する必要がある。そのためには、投資を可能とし、促進するエネルギー市場・制度設計が重要となる。安全性を確認した原子力発電所の再稼動など、原子力の利活用を進めていくことも重要になる。市場自由化・規制緩和について、エネルギー安全保障確保の観点から、必要に応じて適切な見直し・再改革を実施していくことが求められる。また、後述する国際エネルギー戦略の実施も、エネルギー安全保障強化のため不可欠となる。

② 2030年エネルギーミックス目標実現に向けた取り組み強化を図れ

ウクライナ危機を踏まえてエネルギー安全保障強化を図り、「S＋3E」の同時達成を目指す場合の基本は、まず閣議決定された第6次エネルギー基本計画の2030年エネルギーミックスの実現に向けて国内政策を総動員して最大限の努力を図ることが重要である。省エネルギーの深掘り、再生可能エネルギー拡大の積み増し、原子力再稼働の推進、水素・アンモニア利用の具体化と拡大、いずれも重要で、やらなければならないことは分かっている。同時にその実施に関する困難性や克服すべき課題が非常に大きいことも理解されている。しかし、EUがウクライナ危機に対応して、政策推進のギアチェンジをして

た、取り組み努力のギアチェンジをするべきである。「リパワーEU」に取り組むように、日本も既に掲げた極めて野心的な目標の実現に向け

エネルギー政策の遂行には、必ず政策資源の投入とコスト負担が必要になる。それに対する社会・国民の理解確保が不可欠であるが、社会・国民が危機意識を共有できれば、国を挙げての取り組みが可能となる。石油危機後の日本はそうした国を挙げての取り組みを実施し、危機をバネとしてサバイバルのために、次の成長のために、「糧」を確保することになった。ウクライナ危機を「対岸の火事」とせず、国民的な議論を行い、エネルギー政策強化のコンセンサスを得て、まずは2030年エネルギーミックスの実現に取り組む必要がある。

③ 安全性を重視しつつ、世界の動向を見据えた原子力政策を追求せよ

日本が取り組むべきエネルギー政策の分野はどれも課題が山積し、困難に直面するものばかりであるが、その中でも最も難しく、社会的に、政治的にセンシティブなものが原子力に関するものであることは間違いない。福島原発事故から11年が経過したが、あの巨大な事故・被害の記憶はまだ国民の中に刻まれており、事故被災地域・社会の癒えない傷・

痛み・被害のことを考えれば、原子力に関する議論が日本では著しく困難になることはある意味で当然である。

しかし、エネルギー基本計画では2030年の電源構成において原子力は20~22%の比率を確保すべく努力することが明記されている。そのためには、概ね30基程度の原子力が再稼働し、通常運転している必要がある。また、2030年を超えた長期の問題を考える上では、40年の運転制限を延長し、60年運転を目指す必要があること、さらに、原子力の新設・リプレースも長期にわたって原子力が電源としての貢献を果たすためには不可欠となることが基本計画を議論する審議会で指摘されている。

今般のウクライナ危機とエネルギー価格高騰の中で、安定的なベースロード電源であり、かつゼロエミッション電源でもある原子力の価値が特に欧州の国々で改めて重視されるようになった。フランスや英国では原子力の新設に向けた取り組みが進められ、東欧でも同様な展開が見られよう。さらに、小型モジュール炉のような、次世代型の原子力発電技術への期待も大きく盛り上がるようになっている。

日本では、こうした世界の動き・流れを十分に踏まえ、改めて国民の間で原子力の利活用に向け、原子力の位置づけに関する骨太の議論を行っていく必要がある。もちろん、その際には、ウクライナ危機で世界の関心を集めるに至った原子力発電所への武力攻撃の問題を新しいリスク要因として検討する議論も不可欠となる。フランスや英国での原子力の議論は新設の問題だが、日本の当面の重要課題は、既に存在している供給能力としての原子力発電所の再稼働である。安全性を確認し、早期に再稼働ができれば、日本の3Eに貢献するばかりだけでなく、日本のLNG需要を引き下げることにつながり、それは、世界のLNG市場の需給安定に貢献するなど、世界レベルでの意義を持つことになる。

④ 次期エネルギー基本計画改定を意識したエネルギー政策の準備を進めよ

日本がまず今から取り組むべきことは、現行の第6次エネルギー基本計画の目標達成に向けて、最大限の努力をすることである点は既に述べた。極めて野心的な「S+3E」目標を掲げる現行エネルギー基本計画について、その実現のための政策取り組みのギアチェンジが重要となることも強調した。

しかし、この基本計画が取りまとめに向けて議論を重ねていた際には、世界のエネルギー問題の最重要課題に関する関心は、カーボンニュートラル対応一色に染められていたことも事実である。世界のエネルギー情勢が激変し、それに対応したエネルギー安全保障重視の潮流が主流になった今、今後の長期的なエネルギー戦略の構築に当たって新情勢をしっかり取り込んだ議論が不可欠になる。

エネルギー基本計画は通例、概ね3年程度で改定される運びとなっている。現行計画が閣議決定されたのが2021年10月であるため、次の基本計画の改定と閣議決定は、通例通りのスケジュールであれば、2024～2025年頃になると考えられる。改訂と取りまとめのために1年程度の（場合によってはもう少し長い）審議会などでの議論が必要であるとするならば、2023年には議論が開始される可能性もある。2022年の残りの時期はその「準備期間」に相当することになり、戦略的な準備が必要になる。2022年のドイツG7を経て、2023年は日本がG7主催国となる。ウクライナ危機を踏まえた、エネルギー安全保障と気候変動の両立が各々のG7の主題の一つとなる可能性が高いことから、日本は自国開催のG7も意識しつつ、エネルギー基本計画の改定にもつながる総合戦略を検討していく必要がある。

⑤ エネルギーでの日米同盟・戦略連携を強化せよ

ウクライナ危機を踏まえた新情勢に対応するための国際エネルギー戦略の要は、エネルギー分野での日米同盟・戦略連携の強化である。これは、その上位概念に当たる外交・安全保障などの総合戦略の方向性と一致したものであり、日米関係の強化が日本の戦略の骨格となる。

気候変動政策を極めて重視するバイデン政権との協力関係強化においては、日本も脱炭素化への取り組みを緩めることなく、現行エネルギー基本計画で掲げた目標実現に向けて最大限の努力を重ねる姿勢を示すことが有効である。同時に、ウクライナ危機でエネルギー安全保障の重要性が日米双方で共有された状況下、原子力分野での協力や国際エネルギー市場安定化のための様々なイニシアティブでの協力が日米双方の国益に適《かな》うことになる。

また、ウクライナ危機で米国LNGの戦略的重要性が世界で再認識される中、バイデン政権とLNG戦略をすり合わせることも極めて重要である。アジアでの脱炭素化とエネルギー安全保障強化に向けた、着実でプラグマティックな取り組みに関して日米の相互理解と協力を図ることが重要であり、それが米国の国益にも適うことを、日米対話を通して浸透させることも必要になろう。次の大統領選挙の結果がどうなるにせよ、エネルギー分野での日米協力推進を最重要取り組み課題として位置づけ、努力することが求められる。

⑥ 産消対話を推進し、市場安定化に貢献せよ

国際エネルギー市場の安定と国際エネルギー秩序の維持のためには、様々な立場や利害の衝突を克服し、産油国と消費国の対話促進を通した、相互理解の醸成と協力の実現が不可欠になる。エネルギー安全保障問題だけでなく、気候変動対策強化に関しても、日米欧などの先進消費国と資源国では立場に相違があり、地球益追求のためには対話促進が不可欠である。

ウクライナ危機の深刻化の中で、産油国・資源国と消費国との衝突が様々な形で顕在化した。最も象徴的な衝突は、言うまでもなく、ロシアと欧州などのロシア依存の消費国とのあいだのものである。こうした戦争・紛争の当事者間だけでなく、今回の危機の展開の中では、米国とサウジアラビアの間などでも意思疎通の乱れ、関係悪化が顕在化し、市場の混乱や先行き不安感を悪化させることとなった。

日本は、サウジアラビアやカタールなどの中東の主要な産油国と、欧米やアジアの消費国の間の対話促進に貢献することが可能であると思われる。産油国・消費国双方に、有効な働きかけを実施することが可能であると思われ、産消対話の推進・強化を通じて、市場

への十分な供給の提供や不安定化に対応するための供給余力の維持・確保が図られ、それが国際エネルギー市場の安定や国際エネルギー秩序の維持に貢献することは、世界にとって、関係国にとってのみならず、日本のエネルギー安全保障強化に貢献することになる。

⑦中東の安定化と化石燃料脱炭素化に協力せよ

日本にとって、エネルギー供給源としての中東の重要性は極めて高く、今後もその状況は長期にわたって持続する可能性が高い。その意味において、中東の安定は国際エネルギー市場の安定と日本のエネルギー安定供給に直接影響を及ぼす重要要因であり続ける。

その中東では、サウジアラビアと米国の関係に関わる課題、イラン核合意を巡る米国とイランの協議の帰趨《きすう》、イエメン紛争などを始めとして、不安定化の種は枚挙に暇《いとま》がない。日本は前項で述べた産消対話などを通じた地域安定化への貢献が可能である。日本は中東諸国と、その歴史的な関わり・経緯やこれまでの取り組みの成果によって、友好的な関係を有しており、信頼度の高いパートナーとなっている場合が多い。日本が今まで以上に積極的な中東外交を展開し、地域の安定に貢献することが求められる。

他方、中東安定化の別の側面として、気候変動対策が強化され、世界が脱炭素の方向に向かっていく時、中東産油国のエネルギー転換に向けた取り組みに日本が協力していくことが重要になる。様々な分野での協力が考えられるが、中でも化石燃料の脱炭素化でCO_2フリーの水素・アンモニアの国際供給チェーンを産油国と協力して構築することは、産油国の経済構造の多様化・高度化にも貢献し、日本と世界の脱炭素化にも貢献する重要な課題である。

⑧アジアのエネルギー安全保障・気候変動対策協力を推進し、アジアの声となれ

今後、世界の経済成長の中心となり、国際エネルギー市場の需要拡大の中心となるのは、アジアの新興国・途上国となる。これまでは、成長の中心は中国であり、今後も中国の重要性は変わらないものの、需要拡大の中心は、インドやASEANなどにシフトしていく。

そのアジアにおいて、エネルギー安全保障を守り、気候変動対策を強化していくことは、経済発展の状況、人々の所得水準、貧富の格差、エネルギー賦存《ふぞん》や利用の現状等から見て、先進国と比較にならないほど困難な課題に直面する。エネルギー安全保障と脱炭素化に向けたアジアのエネルギー転換を進めていくにあたっては、彼らの現実を踏まえつつ、着実に転換が進んでいく合理的で、プラグマティックなアプローチが重要である。一足飛びに現状から転換することを強要し、そのコスト負担に十分な配慮をしないようなやり方はアジアの現実から見て困難であり、徒《いたずら》な反発と地政学的な悪影響を生むことになる。

日本はこうしたアジアの実情を踏まえ、アジアでの着実なエネルギー転換を支援しつつ、その重要性を国際社会、とりわけ先進国の議論の中で、アジアを代表する声として主張する必要がある。それが日本の役割であり、アジアに対してのみならず、先進国や国際社会に対する真摯な貢献となる。

⑨対中国・対ロシアのエネルギー戦略の再構築を目指せ

中国、ロシアはそれぞれに巨大な消費国と輸出国という形で日本とも、国際エネルギー市場とも密接に関わりを持っている。両国のエネルギー地政学や国際エネルギー秩序に及ぼす影響も極めて大きく、日本にとって対中国及び対ロシアのエネルギー戦略は非常に重要であることは言を俟《ま》たない。しかし、国際情勢の変化の中で、また日本と両国の関係の変化の中で、従来のエネルギー戦略については抜本的に見直しを行うべき必要が現れている。

中国へのエネルギー戦略は、基本的に消費国間での協力が中心であり続けてきた。省エネルギー分野や環境対策面での協力は日中エネルギー協力の重要な柱であった。今後もこれらを含む、従来の協力分野で日中協力を模索することは重要である。また、LNG分野での協力も、両国のLNG市場での重要性を考えると、相互利益のため共通の意見を発信できるのであれば、効果が高い協力分野と考えられる。しかし米中対立が激化していく中、日中関係も難しさを増していく。その中で、そもそも何が日中エネルギー協力として重要となりうるか、何が国際エネルギー市場安定や気候変動防止のために日中協力で有効な効果を生み出しうるかについての議論、つまり協力の意義や可能な分野を議論する対話を日中間で改めて開始し、重ねていくことが求められているように思われる。

ロシアに対しては、石油・ガスなどの資源開発やCO_2フリー水素・アンモニアの供給チェーン構築など、エネルギー投資・貿易分野での協力模索がこれまでの中心であった。他方、ウクライナ危機で、ロシアに対する経済制裁に日本も欧米と一体で取り組む中、ロシアとのエネルギー分野での新たな協力は現時点では極めて困難となっている。また、サハリン2を巡る問題などで日ロ間の関係は難しさを増していこう。エネルギー協力と包括的な経済協力は、日ロ間の平和条約締結や北方領土問題解決のための重要な手段の一つと位置づけられてきた。現時点ではウクライナ危機の今後の帰趨とその国際政治・地政学上の結果を見極めつつ、ゼロベースで対露エネルギー戦略の立案を準備する必要がある。そこでは、ロシアの将来について、様々なシナリオ分析を行い、それに応じた戦略を検討していくことも必要になるかもしれない。

⑩国際エネルギー秩序強化の戦略を再構築せよ

ウクライナ危機は、第1次石油危機と同様に、それまでの国際エネルギー秩序を根幹から動揺させ、エネルギー地政学の新たな局面を生み出すことになった。第1次石油危機後には、先進国が各々エネルギー安全保障強化に本格的に取り組みだし、同時に危機時に瓦解した先進国間の協力体制を再構築し、産油国と対抗する消費国協力の枠組みを国際エネルギー機関（IEA）として整備し、強化してきた。

ウクライナ危機でも、深刻なエネルギー供給不安と価格高騰で、先進国の中で、また欧州の中で、エネルギー事情の違いが浮き彫りになり、一体的な取り組みへの阻害・制約が浮かび上がった。また、消費国と産油国の利害・立場のぶつかり合い・不調和も顕在化した。各国がエネルギー安全保障を強化する取り組みを行うことは極めて重要だが、その取り組みがゼロサムゲーム下での排他的なものになり、却《かえ》って市場不安定化につながるような事態を回避しなければならない。

今日の国際エネルギー市場では、石油危機時と異なり、消費面での主役は先進国ではなく途上国となっている。そのため、消費国連携の機能を働かせるためには、先進国と途上国、特にアジア途上国を巻き込んだ協力確保のための取り組みが必要になる。そのため、IEAの機能を強化して、幅広い消費国連携・協力を整備しつつ、産消対話の枠組みの機能強化を図る必要がある。また、米中対立やロシアとの対立構造という現実を意識しつつ、国際エネルギー秩序を新情勢下で再構築するための努力が必要になるが、日本は欧米とアジア・資源国の協力の重要な結節点として、上記提言の⑤から⑨をベースにして、国際エネルギー秩序のため、積極的な役割を果たすべきである。

小山　堅　こやま・けん
1986年早稲田大学大学院経済学修士修了、日本エネルギー経済研究所入所。2001年英国ダンディ大学博士号取得。2011年同研究所常務理事、首席研究員、2020年同研究所専務理事、首席研究員。2013年東京大学公共政策大学院客員教授。専門分野は国際石油・エネルギー情勢、エネルギー安全保障問題。主な著書に『激震走る国際エネルギー情勢』(エネルギーフォーラム)、『中東とISの地政学』(朝日選書、共著)などがある。

朝日新書
875

エネルギーの地政学《ちせいがく》

2022年8月30日第1刷発行

著　者　小山　堅

発行者　三宮博信

カバーデザイン　アンスガー・フォルマー　田嶋佳子

印刷所　凸版印刷株式会社

発行所　朝日新聞出版
〒104-8011　東京都中央区築地5-3-2
電話　03-5541-8832（編集）
　　　03-5540-7793（販売）

Published in Japan by Asahi Shimbun Publications Inc.
ISBN 978-4-02-295183-0
定価はカバーに表示してあります。

落丁・乱丁の場合は弊社業務部（電話03-5540-7800）へご連絡ください。
送料弊社負担にてお取り替えいたします。

朝日新書

歴史の予兆を読む

池上　彰
保阪正康

ロシアのウクライナ侵攻は、第3次世界大戦となるのか？　日本の運命は？　歴史にすべての答えがある！戦争、格差、天皇、気候変動、危機下の指導者――。日本を代表する二人のジャーナリストが厳正に読み解く「時代の潮目」。過去と未来を結ぶ熱論！

外国人差別の現場

安田浩一
安田菜津紀

病死、餓死、自殺……入管での過酷な実態。ネット上にあふれる差別・偏見・陰謀。日本は、外国人を社会の一員として認識したことがあったのか――。「合法」として追い詰め、「犯罪者扱い」してきた外国人政策の歴史。無知と無理解がもたらすヘイトの現状に迫る。

いのちの科学の最前線
生きていることの不思議に挑む

チーム・パスカル

目覚ましい進化を続ける日本のいのちの科学。免疫学、腸内微生物、性染色体、細胞死、遺伝子疾患、粘菌の生態、タンパク質構造、免疫機構、遺伝性制御から「こころの働き」まで、最先端の研究現場で生き物の不思議を究める10人の博士の驚くべき成果に迫る。

永続孤独社会
分断か、つながりか

三浦　展

仕事や恋人で心が満たされないのはなぜか？「つながり」と「分断」から読み解く愛と孤独の社会文化論。人生に夢や希望をもてなくなった若者。コロナ禍があぶり出した格差のリアル。『第四の消費』から10年の検証を経て見えてきた現代の価値観とは。

朝日新書

江戸500藩全解剖
関ヶ原の戦いから徳川幕府、そして廃藩置県まで

河合　敦

加賀藩・前田利常は「バカ殿」を演じて改易を逃れた。井伊直弼の彦根藩は鳥羽・伏見の戦い直前に新政府側に。黒田藩は偽札の出来が悪くて廃藩となる。藩の成り立ちから廃藩置県までを網羅。「日本最強の藩はどこだ！　実力格付けランキング」も収録。

ペアレントクラシー
「親格差時代」の衝撃

志水宏吉

日本は「ペアレントクラシー（親の影響力が強い社会）」になりつつある。家庭の経済力と子どもの学力の相関関係が年々高まっているのだ。生徒、保護者、学校、教育行政の現状と課題を照射し教育公正の実現に求められる策を提言する。

大江戸の娯楽裏事情
庶民も大奥も大興奮！

安藤優一郎

「宵越しのゼニなんぞ持っちゃいられない！」。飲む打つ買う、笑って踊って、「億万長者」が二日に一人！　祭り、富くじ、芝居に吉原、御開帳——。男も女も大興奮。江戸経済を牽引した、今よりもっとすごかった「お楽しみ」の舞台裏。貴重な図版も多数掲載。

自民党の魔力
権力と執念のキメラ

蔵前勝久

自民党とは何か。その強さの理由はどこにあるのか。国会議員と地方議員の力関係はどうなっているのか。派閥、公認、推薦、後援会、業界団体、地元有力者はどう影響しているのか。「一強」の舞台裏を朝日新聞政治記者が証言をもとに追う。

朝日新書

ぼくらの戦争なんだぜ

高橋源一郎

教科書の戦争記述に国家の「声」を聞き、戦時下の太宰治が作品に込めた秘密のサインを読み解く。「ぼくらの戦争」とは、どういうことか。膨大な小説や詩などの深い読みを通して、当事者としての戦争体験に限りなく近づく。著者の最良の1作。

エネルギーの地政学

小山　堅

ウクライナ侵攻を契機に世界中にエネルギー危機が広まっている。エネルギー研究の第一人者が、複雑な対立や利害を内包するこの問題を地政学の切り口で論じ、日本がどのような政策や外交を行い、安全保障上の危機に対峙していくかを提言する。

宝治合戦
北条得宗家と三浦一族の最終戦争

細川重男

「鎌倉殿の13人」の仁義なき血みどろ抗争は終わっていなかった！鎌倉幕府№1北条氏と№2三浦氏で争われた宝治合戦（1247年）。北条氏が勝利し得宗独裁体制が確立された鎌倉時代の大転換点となった戦いを、解説編&小説編で徹底解説。

太平洋戦争秘史
周辺国・植民地から見た「日本の戦争」

山崎雅弘

満洲国・インドシナ・シンガポール・フィリピン・豪州・メキシコ……アジア・北米・中南米諸国が直面していた政治的・軍事的状況をとおして、「日米英仏中ソ」の軍事戦略・政治工作・戦闘の詳細を明らかにし、「日本の戦争」を多面的・複眼的に読み解く。

日本解体論

白井　聡
望月衣塑子

政治状況も、国民生活も悪化の一途をたどり、日本を蝕む閉塞感に打開の一手はあるのか。政治学者と新聞記者が、政治・社会・メディアの問題点、「政治的無知」がもたらす惨状、将来に絶望しながら現状を是認し続ける「日本人の病」に迫る。